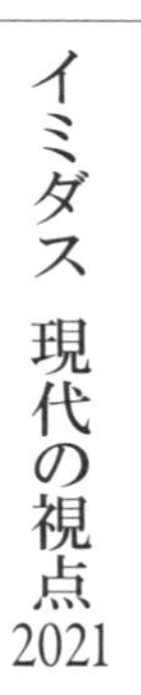

イミダス 現代の視点2021

部 編

imidas

はじめに

集英社が一九八六年に刊行を始めた「情報・知識 imidas」は、政治経済、社会、文化など多彩な分野をそれぞれの第一人者が執筆することで、学生から知識人まで幅広い層からの支持を集めた年次版の現代用語事典である。二〇〇七年版を最後に紙媒体からインターネットに場所を移し、現在は「情報・知識&オピニオン imidas」の名で、事典の機能を維持しつつ、時事問題を取り扱うオピニオンや、コラム、エッセイを掲載するウェブサイトとして運営している。

本書『イミダス 現代の視点2021』を編むにあたり、二〇一八年五月から二〇二〇年八月にわたって掲載された記事の中から二四本を厳選し、テーマに沿って四章に振り分けた。

「こんな年になるとは思わなかった」――「I コロナの時代」では、誰ひとり予想だにしなかった新型コロナウイルスのパンデミックが、私たちの暮らしや心性にどのような影響を与えたのかを考察する。

「II 変わる法律・制度」の記事は、わずか一〜二年の間に、国民のはるか頭上を通り過ぎていった法案ひとつひとつに正面から向き合っている。これらの法案はすべて、未来に直結するものだ。問い直せば、日本の姿がそこに見えてくる。

「Ⅲ　内政・外交のいま」。安倍晋三政権に成果はあったのか。経済や外交を振り返るとともに、台風被害の激甚化やカジノ構想、福島原発の汚染水など、局所的に見えて実は広く深い問題を徹底的に掘り下げている。また世界と日本にとりわけ大きな影響力を持つ二大国、アメリカと中国について、注視に値する最新の動向を加えた。

「Ⅳ　揺れる社会」で扱ったテーマは、差別の露呈、全体主義の萌芽（ほうが）、学術的な競争力の低下、歴史修正主義の横行。日本社会全体を覆いかけているこれらの問題を、そのまま放置するのか。それとも、向き合い克服するのか。私たちは岐路に立っている。放置をよしとしないのであれば、記事の中から克服に向けたヒントを得ることができるだろう。


各記事の冒頭には公開年月日を付し、原則として公開当時のままの形で収録している（公開後に法改正などの新たな動きが見られた場合には、付記を添えた）。

「あの日、何があったか」「その頃、何をしていたか」。思い返しながら、忘れられかけている数々の問題を掘り起こし、今後の日本を読み解くための助けとなることを願っている。

二〇二〇年一〇月

イミダス編集部

目次

Ⅰ　コロナの時代

Ⅱ　変わる法律・制度

Ⅲ　内政・外交のいま

Ⅳ 揺れる社会

Ⅰ　コロナの時代

二〇二〇年五月一四日　公開

コロナ禍だからこそ鍛えたい「自由」と「権利」と「多様性」

映画作家　想田和弘

●ロックダウンのNY。あっという間に「自由」が奪われた

新型コロナウイルスのパンデミックにより、二〇二〇年三月、僕が住んでいるアメリカ・ニューヨーク州では飲食店や映画館、劇場、美術館などが強制的に営業停止となり、市民には「自宅待機令」が出された。似たような措置はニューヨーク以外のアメリカの都市やヨーロッパでも取られ、入国禁止や入国制限も発令された。

いわゆる「ロックダウン」である。

この現象自体、僕にとっては驚くべきことだった。なにせ「経済活動の自由」や「移動の自

由」といった民主主義社会の根本を支える価値が、さしたる議論や手続きを経ることもなく、国家や州の指導者の鶴の一声によって、あっという間に市民から取り上げられてしまったのである。

同時に驚かされたのは、そうした措置がほとんどの市民によって、すんなりと支持されたことだ。それどころか、ソーシャルメディアでロックダウンに疑問を呈したりするだけで、普段はリベラルな友人にまで「人の命が失われてもいいのか」と非難された。「命」を盾に取られると、強く反論することは難しい。思わず口をつぐんでしまう。僕も命は大切だと思うからだ。

実際、ニューヨークの状況は、東京とは比べ物にならないほど悲惨である。最も酷いときには連日約八〇〇人もの人々がコロナウイルスで亡くなっていた。そういう意味では、ロックダウンという、とても副作用の強い強硬な手段を取るしか、他にやりようがなかったのかもしれない。

しかし気になったのは、人々に逡巡が見られなかったことである。そして、異論を許さぬ同調圧力の強さだ。

即座に思い出したのは、二〇〇一年九月一一日に起きた事件だ。

あのときも僕はニューヨークで暮らしていた。二機の飛行機がワールドトレードセンターに突っ込んだ瞬間、アメリカは一変してしまった。あんなに自由で多様に見えたアメリカ社会が一瞬で「一丸」となり、国旗を掲げ、米軍を称揚し、第二の国歌と呼ばれる「ゴッド・ブレス・アメリカ」を合唱し、戦争に突き進んでいった。

当時、世論調査でアフガニスタン攻撃に賛成するアメリカ人が九割に達したというＣＮＮのニュースを、身震いしながら見たのを鮮明に覚えている。右も左も諸手（もろて）を挙げて開戦に賛成していた。アメリカの議会は、いわば野党のいない状態と化した。

あのときも盾に取られたのは（アメリカ人の）「命」だった。人々は「テロ」の恐怖に怯（おび）えていた。自分や自分の愛する人がいつ殺されるかわからない。それを防ぐためには、「テロリスト」を片っぱしから殺さなければならない。そう言って、アメリカ人はあの泥沼の戦争を始めた。その結果、アフガニスタン、パキスタン、イラクにおける戦争で軍民合わせて推定四八万人から五〇万人が命を失った（二〇一八年、ブラウン大学集計）。

九・一一で実感したのは、死の恐怖に圧倒された人間は、いとも簡単に、個よりも全体を優先する「全体主義」に与（くみ）するし、凶暴にもなりうるということである。

この原則をコロナ禍に当てはめると、世界の将来をあまり楽観していられない。

そもそも新型コロナウイルスは、人々を分断するような特性を備えている。やっかいなのは、無症状な感染者が多くいるということだ。ウイルスが世界中に広まってしまった今、私たちはいわば全員が「潜在的な感染者」なのであり、したがってお互いがお互いを警戒せざるをえない。

コンビニでおにぎり一つを買うのにも、買う側は「この店員さん、感染していないかな」との考えがよぎるだろうし、売る側も「このお客さん、感染していないかな」と警戒するだろう。いきおい、相互不信にも陥りやすい。スーパーなどの店内でマスクをせずに話をしている人を見れば、「なんでマスクしないの？　飛沫が飛ぶじゃん」と憤りを感じがちなのではないだろうか。

だから日本社会で「自粛警察」や「コロナ自警団」が跋扈したり、感染者が激しくバッシングされたりしているのは、実に由々しきことだが、不思議なことではまったくない。

●〈山梨に帰省した女性〉の一件が示すもの

たとえば、東京から山梨に帰省した女性の件は、その典型である。

報道によると、女性は都内にいる間に味覚や嗅覚に異変があったが、ゴールデンウィークに山梨県内の実家に帰省した。山梨ではバーベキューをし、整骨院やゴルフ練習場も訪れていた。

その後、勤務先の同僚の感染がわかったため、山梨県内でＰＣＲ検査を受けた。陽性の結果を伝えられた後、バスで都内に戻った。しかし保健所には当初、「ＰＣＲ検査の結果を待っている間に都内に戻った」と虚偽の報告をしたという。

この女性に対して、ネットでは「歩く細菌兵器」「もはやテロリスト」「逮捕しろ」「名前をさらせ」などという中傷と攻撃が飛び交い、袋叩き（ふくろだた）の様相を呈している。報道各社が彼女の行動を詳細に報じている様子は、さながら殺人事件か何かの容疑者の足取りを追うような雰囲気を醸し出しており、女性は言外に「凶悪犯」のような扱いをされている。

たしかに女性の行動は、不注意と言われれば不注意かもしれない。また、きっと咄嗟（とっさ）にそう言ってしまったのだろうが、保健所に虚偽の報告をしたことは、少なくとも適切とは言えないだろう。

しかし冷静に考えてほしいのは、女性も誰かからウイルスをうつされた人だということだ。そういう意味では彼女も「被害者」なのだ。しかも、死ぬかもしれない病と闘う「病人」なのである。

それに、実家に帰省するのも、バーベキューやゴルフを楽しむのも、本来ならば誰にでも当然認められるべき市民的「自由」であり「権利」であるはずだ。実際、彼女は法律をまったく犯していない。にもかかわらず、彼女の行動がまるで犯罪であるかのように語られるということは、いつの間にか女性は日本社会において、自由や権利を事実上剝奪されているということなのではないか。

いいや、剝奪されているのは女性だけではない。この文章を書いている僕も、読むあなたも、バッシングする無数の人々も、それを報じるマスメディアの人々も、すべての人間が自由や権利を剝奪されているということだ。

なぜなら先に述べた通り、私たちは誰もがいつ発症するのかわからない「潜在的感染者」である。したがって運悪く「陽性」と認められてしまったら、過去に帰省したりバーベキューをしたりゴルフ場へ行ったりしたことが掘り起こされて追及され、女性と同じように袋叩きにあい、社会的に抹殺されかねない。

よほどの切羽詰まった事情がなければ、そんなリスクは怖くておかせない。だから、帰省もバーベキューもやめておこう。そう考える人が多いのではないだろうか。

つまり私たちはすでに事実上、帰省もバーベキューも自由にできない状態に陥っている。まったく自由な市民ではなくなったのだ。

●いつの間にか失っていた「基本的人権」

あらためて考えると、これは恐るべきことだ。

別にクーデターか何かが起きたわけでもないのに、私たちはいつの間にか「基本的人権」を失っていたのである。

もちろん、私たちの自由や権利は、そもそも無制限に行使できるわけではない。

たとえば、Ａさんは「表現の自由」が保障されているからといって、Ｂさんについての事実無根の中傷をネットに書いてよいわけではない。なぜならＢさんにも基本的人権があり、Ａさんの行為はＢさんの人権と衝突するからである。民主主義社会では、Ａさんの人権もＢさんの人権も等しく大事にされることが必要で、両者が衝突する際には、なんらかの折り合いをつけなければ立ち行かないのだ。

そういう意味では、新型コロナウイルスが蔓延（まんえん）するなか、私たちの権利がある程度制約を受けることは、いたしかたない面もある。陽性だとわかっていながら普段通りに外出すれば、ウイルスを拡散する可能性が高まり、他人の生存権を脅かすことになるからである。感染していない人の権利を守ろうとするならば、感染者の権利に合理的かつ最小限の制約が課されるのも仕方がないとは言えるだろう。感染者が隔離されることが法的に容認されるのも、このようなロジックに基づいている。

しかし社会を民主的に保ちたいのであれば、このように個人の自由や権利に制約を課すことには、極めて抑制的でなければならない。同時に、私たちは制約を課したり課されたりすることに、常に抵抗感と違和感を保たなければならないのであって、絶対に慣れてしまってはいけない。

でなければ、私たちは先人の努力によってようやく獲得した基本的人権やデモクラシーを、半ば恒久的に失うことになるだろう。というのも、多くの権力者にとって、市民の人権を容易に制限できる状況は、とても都合がよいものだからである。

安倍晋三首相が、コロナ禍に乗じて憲法に緊急事態条項を盛り込みたがっていることは、そのことを如実に物語っている。

彼は新型インフルエンザ等対策特別措置法に基づく今回の「緊急事態宣言」では強制力が伴わないため、憲法秩序や基本的人権を一時停止できる強力な条項を憲法に新設するべきだと主張しているが、とんでもないことである。

なぜなら、もし安倍氏の念頭にあるのが「二〇一二年自民党改憲草案」に盛り込まれた「緊急事態条項」であるなら、憲法学者の木村草太氏が指摘するように、「三権分立・地方自治・基本的人権の保障は制限され、というより、ほぼ停止され、内閣独裁という体制が出来上がる。これは、緊急事態条項というより、内閣独裁権条項と呼んだ方が正しい」（「論座」二〇一六年三月一四日）ものだからである。

すでに触れたように、死の恐怖に圧倒された人間は、いとも簡単に、個よりも全体を優先する「全体主義」に与するし、凶暴にもなりうる。コロナ禍が一年、二年と長引けば、世界が、日本社会が全体主義化していく危険性は高まっていくことだろう。

私たちが大事にしてきた「自由」や「多様性」といった価値が、実のある「本物」だったのか。それとも、お題目だけの「ハリボテ」だったのか。僕はこのコロナ禍によって、そのことが厳しく試されているのだと思う。いや、ポジティブにとらえるならば、この状況はそうした価値について、本質的に考えると同時に、鍛えていくよい機会だとも言えるだろう。

●「自由や多様性を守る」ということ

そこで「自由」や「多様性」とはなんたるかについて、あらためて考えてみよう。

たとえば「新型コロナウイルスはどのように人から人へうつるのか」という基本的な情報ですら、人によって接する情報の内容は異なる。「空気感染の恐れがある」という情報に接した人と、「空気感染のリスクは実は低い」という情報に接した人では、対応法も異なってくる。いや、まったく同じ情報に接していたとしても、人によっては重く受け止め、人によっては軽く受け止めるだろう。なかには、完全に無視する人もいるかもしれない。

なぜ人によって受け止め方が異なるのかと言えば、人間はそれぞれ、生まれつき性格が異なるからだ。のみならず、異なる環境で、異なる選択を繰り返し、異なる時間を生きてきたからだ。コロナ禍に対する受け止め方や向き合い方は、大げさに言えば、その人のこれまでの人生全体を反映しているのである。

つまり「自由や多様性を守る」ということは、マスクをしない人も、バーベキューをする人も、同じ社会で暮らす仲間として尊重するということだ。尊重するのが心理的に難しいのなら、せめて糾弾したり排除したりしないということだ。そして自分たちの安全のためにどうしても行動を変えてもらう必要があるならば、その人の人権や生活が損なわれないよう、民主的な手続きを守りながら、理性的にお願いするということだ。

「自由や多様性を守る」ということは、口で言うよりもずっと難しく、覚悟と忍耐のいることなのである。だからこそ、「鍛える」必要もあるのだと思う。

●コロナ禍は正念場。「全体主義」の誘惑に負けないために

幸いなことに、新型コロナウイルス感染症の致死率は比較的低く、かかったら必ず死んでしまうという病気ではない。ウイルスの流行が本当に収束するためには、ある程度の人口が感染・治癒して、社会に集団免疫がつく必要があるとも言われている。

したがって社会としての目標は感染者をゼロにすることではなく、医療機関がパンクしないよう、感染のスピードを十分にスローダウンさせることにある。つまりある程度の「逸脱」や

「不注意」や「エラー」は織り込んでいく必要があるのだ。少なくとも山梨の女性がゴルフ場に行ったからといって、直接彼女と接触があった人はともかくとして、社会全体が危機にさらされるわけではない。もっと言うと、社会は「自由」や「多様性」の一つの形態として、彼女のような行動も包摂していくしかないのである。

くわえて、人間の「自由」や「多様性」は、社会がコロナ禍に効果的に対処していく上で、これまで以上に重要になってくる。

僕が欧米の「ロックダウン」に批判的なのは、それが計り知れない経済的ダメージをもたらしただけでなく、一律に人々や企業から自由を取り上げる手法であったがゆえに、現場の人々が工夫や試行錯誤する余地まで奪われてしまったからである。要は、人々の多様性が持つ強みが発揮されにくいのだ。

たとえば「飲食店の営業は一律禁止」としてしまうと、それぞれの飲食店で感染リスクを低めるための工夫や技術、アイデアが発達する機会は一律に奪われてしまう。ニューヨークに多い歩道に開かれたオープンカフェであれば、席と席の間隔を十分に空け、検温や消毒やマスクの着用を徹底するならば、十分にリスクを低減できたはずだが、ロックダウン下ではそういう工夫の余地もなくなってしまう。だからロックダウンが解けた後も、社会が正常な状態に戻るには、相当な時間がかかってしまうことだろう。

民主社会の強みの一つは、多様な背景を持つ多様な人々が存在するがゆえに、大きな社会問題が生じた際にも多方面から無数の解決法が自由に試みられることにある。そうした解決法には、優れたものも、ダメなものもあるだろうが、ダメなものは次第に淘汰され、優れたものが採用されていく。それがイノベーションの基本的な力学だ。

しかし社会から多様性や自由が失われてしまうと、そうした運動そのものが弱体化してしまう。コロナ禍という前代未聞の危機に立ち向かうためには、画期的なイノベーションや工夫、アイデアが何よりも求められるというのに、である。

今回のコロナ禍は、私たちが大事にしてきた自由や権利や多様性といった価値や、デモクラシーという政治体制に、かつてないほどのプレッシャーを与えている。私たちはそのプレッシャーに白旗を掲げ、自由や権利や多様性を手放し、全体主義の誘惑に負けてはならないと思う。全体主義化が進めばイノベーションが停滞するだけでなく、コロナウイルスに関する正確な情報さえも自由に流通しなくなり、私たちはウイルスに対抗する術を失ってしまう。

ここは正念場だ。

繰り返しになるが、私たちはむしろ、このコロナ禍を自由や権利や多様性といった価値を鍛えていく機会とすべきではないだろうか。僕はそれが、コロナ禍を生き延びていくために、そしてコロナが去った後にデモクラシーを継続していくために、どうしても必要なことだと思っている。

二〇二〇年四月二一日　公開

新型コロナウイルス感染拡大による「心の死」を防げ！

精神科医　香山リカ

新型コロナウイルス感染症の拡大が、世界にそして日本に、あまりにも大きな影響を与えている。

私自身、この二〇二〇年三月から生活がすっかり変わってしまった。勤務している立教大学は卒業式、入学式などすべての行事が中止。四月三〇日からはオンライン授業が始まり、七月末まで前期いっぱい続く予定だ。

三月一八日からは厚生労働省がオンラインで、チャット形式の「新型コロナウイルス感染症関連　SNS心の相談」を始めることになり、コーディネーターのひとりとして相談員の募集やスーパーバイズにかかわることになった。相談は四月二一日現在も続いていて、私もできる限り、相談者と相談員たちのやり取りを目視し、困難そうなケースには助言を行っている。

　また、数年前から、「精神科を受診する患者さんの身体疾患を見逃したくない」という思いがあり、大学病院の総合診療科で週に一回、外来診療を通して内科の基礎を学び直していたのだが、その外来が四月から突然、コロナ感染が疑われる患者の専用窓口となった。もちろん感染可能性が濃厚なケースは専門医が診察するのだが、度合いによっては私もヘルプ役としてかかわることがある。いまは立教大学の授業がないこともあって、週に二〜三回のペースでこのコロナ検査用外来で診察の補助にあたっている。

　コロナ以前と比較すると、変わらない業務は週に二回の精神科外来の診療だけ。そのほかはほとんどすべての時間を「コロナ感染症」と「コロナ感染症に関する心の不安」と向き合ってすごす、という状態になっている。


　もちろん、心身ともに疲れる日々であることはたしかだ。「心の相談」の業務は毎晩一〇時まで続くので、スーパーバイズ用のオフィスで業務を終え、帰宅して軽食を摂って寝て、翌朝、大学病院で朝八時半から外来を始める日はとくに早起きがしんどい。

　しかし、「心の相談」でいろいろな人の悩みを垣間見たり、ＳＮＳで多くの人たちの発言を見たりしてつくづく思うのは、「私はこのコロナ禍にあって、やれることがあるだけ恵まれている」ということだ。

「心の相談」には多種多様な相談が寄せられるが、それを無理やりひとことで集約すると、「やることがない、やりたいのに何もできない」に尽きるのではないか。もう少し言葉を足せば、「この大きな災いの中で、自分には何もできることがない。なすすべがない」ということこそが、多くの人にとっての最大の苦痛となっているのだ。

誤解しないでほしいのだが、これは「コロナウイルスの威力があまりに強大なので、もはや人類にはなすすべがない」という意味とは少し違う。

哲学者の東浩紀（あずまひろき）氏は三月二八日、自身の主催する、漫画家の小林よしのり氏らとのトークイベントで、コロナウイルスを「重い風邪」「雑魚（ざこ）キャラ」などと称したとして話題になった。東氏は、世界の人口の二割が死亡したとされる一四世紀のペストや、二〇一二年に発生した致死率三五％の中東呼吸器症候群（ＭＥＲＳ）と微生物学的な見地だけから比べれば、致死率の面で新型コロナウイルスそのものの威力は「弱い」と考えてしまったのかもしれない。

しかし、現時点でそんなことを口にするのは、もし東氏が微生物学者だとしても、あまりにナイーブというか世間知らずと言われるだろう。まして、東氏は科学者ではなく哲学者、評論家なのである。その見地から考えれば、世界をこれだけ混乱に陥れている新型コロナウイルスは、あらゆる意味で「弱くない」どころか「非常に強い」と言えるのではないだろうか。

新型コロナウイルスは、なぜこれほどまでに人びとの生活や心理に影響を与えているのか。最大の理由は言うまでもなく、経済活動の停滞だ。先の東氏のトークイベントに出演して「(コロナは) ふつうの風邪」と発言した小林よしのり氏は、自身の四月一一日付のブログでも、「コロナはインフルエンザより弱小」と言い、「どうせ感染者は増え続ける。自宅療養しておけばいい」と続ける。そして、このブログを「自粛を止めて、経済を回す!それしかない!/『集団免疫』で必ず感染も止まる!」と結ぶのである。

小林氏の主張には、「感染もやむなしと考えて経済活動を続けろ」という、いわば〝玉砕精神〟のようなものも含まれているようだ。そして、ネットを見ていると、この感染覚悟の極論には一定の支持が集まっている。裏を返せば、それほど現在の経済の停滞で逼迫(ひっぱく)した状況になっている人がいる、ということなのだろう。

たしかに、政府が非常事態を宣言し、それぞれの自治体が飲食店やスポーツジムなど特定の業種、施設に休業や営業時間短縮などを要請する中、収入が激減したり途絶えたりし、経済苦に陥る事業所や労働者が急速に増えている。国や自治体は現金給付や休業補償を検討しているが、「とても間に合わない」と廃業を決めた会社もある。

先に挙げた「心の相談」でも、実は経済苦に関する悩みが非常に多い。パートで勤めていた店から突然「明日から来なくてよい」と言われた、夫の経営するレストランの売り上げが激減して家賃も払えない、転職が決まっていたが急に内定を取り消されたなどなど、あらゆる業種、あらゆる働き方をしている人が深刻な状態に陥っているのを実感する。

精神科の診察室にも、コロナとは別に、仕事ができず経済的に苦しんでいる人は多くやって来るが、彼らには「うつ病のため、夜眠れず朝起きられない」「対人関係に自信がないから働く勇気がない」などの〝働けない理由〟がそれなりにある。しかし、今回のコロナの影響を受けている人たちには、それがない。ほとんどが「働く気はおおいにある」「これまで精力的に働いてきた」という人たちだ。それなのに突如として仕事がなくなった。あるいは仕事ができなくなったのである。

働きたいのに働けない。働く意欲も体力もスキルもあるのに、働かせてもらえない。そんな理不尽なことがあろうか。

前半で、私はこのコロナ禍により生活が一変し、これまで以上に忙しくなってしまったが、「やれることがあるだけ恵まれている」と述べた。しかも、私の「やれること」は、コロナ検査用外来のヘルプやコロナ関連の「心の相談」など、直接この感染症にかかわることである。

コロナ検査用外来では感染のリスクもあり、まわりの医師たちの疲弊が激しいのを目の当たりにして気持ちが暗くなることもあるが、それでも「私はコロナに対し、ただ手をこまねいているわけではない」というささやかな手ごたえを感じることはできる。

ところが、今回の事態で、ほとんどの人はその正反対の状況に置かれることになっている。世界の合言葉が、「Stay Home（お家にいよう）」なのだ。

先の「仕事がなくなった」という人はもちろん、幸いにしてすぐには解雇されていない企業の従業員でも、テレワーク、自宅待機などで出勤を止められているパターンが多い。テレワークでこれまで通りの作業をしているという人もいるようだが、できることが限られ、労働量が減ったという人の方が多いはずだ。その人たちは、最初は「通勤しなくてよいから助かる」「自宅待機でも給料が出るからありがたい」と思うだろうが、次第にその状況にも飽きてきて、不安が大きくなってくるのではないか。

――いつまでこの状況が続くのか、いつまで会社に行かずにいればいいのか、テレビをつけてもコロナのニュースばかりだが、自分はただ家でそれを見ていることしかできないのか、そもそも自分は社会の役に立っていたのか……。

現代人の多くは、毎日、自分を奮い立たせ、厳しい社会の中に身を投じ、たゆまぬ努力を続けながら、自己啓発を怠らず、成長と自己実現を目指して生きてきた。簡単に言えば、「とてつもないがんばり」がほぼ「生きること」と同義になっていたのだ。私は一〇年ほど前から、繰り返し「がんばらないで」というテーマの本を書いてきたが、そのニーズが絶えないということは、「がんばらないで」と言われても言われても、ほとんどの人が「とてつもないがんばり」をやめられないということを意味する。

それが新型コロナウイルス感染症の広がりによって、突然、「がんばって外で働いたり学校に行ったりすることこそが感染の元凶」と言われ、それらをすべて禁じられることになった。「とてつもないがんばり」は、現代人にとっての普遍的な善から、突然、最大の悪へとその価値を変えられてしまったのだ。

イギリスのボリス・ジョンソン首相は、自身の新型コロナウイルス感染が判明する直前、三月二三日のテレビ演説で国民にこう呼びかけた。

「みなさん、家にいなくてはなりません。みなさんが家にいるだけで稼いでくださる時間を活用し、器具の備蓄を増やし、治療法の研究を加速させられるのです」（筆者訳）

どうだろう。「みなさんもこのコロナウイルスと闘うために、器具の製造や、治療法の研究のための文献探索に協力してください」と言われたら、多くの人はわれ先にと手を挙げ、製造現場に駆けつけたり、手分けして文献を探したりするのではないか。

ところが、ジョンソン首相は、国民ができるのは、「家でじっとしていて、時間稼ぎをすることだけ」と言っているのだ。「首相の呼びかけに応えよう！」と奮い立ったとしても、次の瞬間には家に入ってドアを閉じ、そこから出ないようにして動画を見たりオンライン講座でヨガをやってみたりすることくらいしかできないのだ。

――私にできることは何もないのか。この災禍の中で私の価値は、いったいどこにあるのか……。

「自分は社会や他人にとって役に立つ人間だという感覚」を心理学で「自己有用感（self efficacy）」と言うが、新型コロナウイルス感染症のもっとも深刻な〝症状〟のひとつは、現代人がこの自己有用感を奪われることではないかと思うのである。

「何もするな。出てくるな。それがあなたにできる唯一のことだ」と言われ、それでも「私は社会や他人の役に立っている」という自己有用感を失わずにいるのはきわめて困難である。誰かが「いいえ、あなたは立派に社会の役に立っているのだ」と伝えなければならないのではないだろうか。

精神科医として私は、今後、多くの人が「自己有用感の喪失」という恐ろしい病を発症するのではないかと危惧している。ウイルスそのものには感染しなくても、また国の補償などによって生活の危機をとりあえず回避できたとしても、「私にできることは何もない。他人や社会の役にも立っていないし、ウイルスとの積極的な闘いにも加われていない」という思いから、うつ病やアルコール依存症、希死念慮など、メンタルヘルス上の疾患を発症する人が世界で激増するのではないか。そしてそのことにより、離婚、家庭内暴力や子どもへの虐待、自殺未遂あるいは既遂といった深刻な問題も増加するかもしれない。

「Stay Home」が長引くことにより起きる自己有用感の低下や喪失は、大げさではなく致死的な病だと私は考えている。マスクを求めて早朝からドラッグストアの前で行列を作るシニアたちが批判されているが、彼らはマスクよりも、「私はやれることをやっている。家族の役にも立っている。コロナウイルスから身を守るために闘っている」という自己有用感が欲しいのではないだろうか。高齢者たちは自分の心が死なないようにするために毎日、朝から並んでマスクを集め続けているのかもしれないのである。そう考えれば、彼らを軽々しくとがめたり嘲笑したりできない、と思えてくる。

しかし、だからと言って私は、小林よしのり氏のように、「だから自粛を止めて働こう！」とはとても言えない。大学病院のコロナ検査用外来で目にするこの感染症の威力は、たしかにペストなどよりは小さいかもしれないが、決して東氏が言うような「雑魚キャラ」では片づけられないほどには強力だからだ。実際に軽症と思われた人が突然、自宅で呼吸困難に陥ったり、完全防御で感染者に接したはずの医療従事者が感染したり、という事例を私も目撃した。一度は回復した人が再び陽性に転じた例もある。このウイルスの振る舞いは、いまだによくわからないのだ。

だとしたら、私たちは「Stay Home」を続けながらも、社会の中での自分の価値や、他人にとって自分が役に立っている手ごたえ、そして、この感染症と積極的に闘っているという実感を持てるような、何らかの仕組みを作らなければならない。ただ、それは「SNSでつながろう」とか「オンラインでひとを励ます動画を投稿しよう」といった方法では限界があるだろう。

家にとどまり、仕事にはいつものように行けなくても、「私は社会の中で十分に役に立っている」と自分を自分で認められるためには、何をすればよいのか。どんな手段が使えるのか。

それを考え、そのシステムの構築を行うのが、精神科医としての私が〃いまやるべきこと〃だ。もちろん、私ひとりでは何もできない。この記事を読んで何かアイディアが浮かんだ人は、ぜひ教えてほしい。新型コロナウイルスからひとりひとりの身体(からだ)を守ると同時に、私たちは「心の死」をなんとしても防がなければならないのである。

二〇二〇年四月二二日　公開

新型コロナが若者の生活を直撃！　急増する「バイト難民」

中京大学教授
大内裕和

新型コロナウイルス感染拡大が続き、その影響は社会のさまざまな領域へと広がっています。私が日々接している大学生たちも、例外ではありません。感染拡大への対応として、四月から始まるはずだった講義日程の延期や、遠隔授業への切り替えなどの措置が取られるようになっています。

そうした状況の中から、ここで取り上げたいのは大学生のアルバイトについてです。

私は、二〇一三年六月に「学生であることを尊重しないアルバイト」のことを「ブラックバイト」と名付けて、社会に問題提起を行いました。一四年にはブラックバイト専門の弁護団「ブラックバイト対策弁護団あいち」を愛知県近辺の弁護士の皆さんと一緒に結成し、学生のアルバイト相談に応じてきました。一六年には、ブラックバイト登場の社会的背景とその対策を考察した著書『ブラックバイトに騙されるな！』（集英社クリエイティブ）を出版しました。

私がブラックバイトを発見することができたのは、学生たちの話を丁寧に聞くことを心掛けてきたからだと思います。現在も学生からの相談は多数あります。新型コロナウイルス感染拡大以後、特に今春に入ってからは、相談内容が大きく変わってきました。

それまで学生からの相談は、アルバイト先の労働条件に関するものが圧倒的多数を占めていました。しかし、三月頃から「バイトのシフトが減らされました」「バイトが全くなくなりました」などの相談が急増しました。これは希望してもアルバイトをすることができない状態、言わば「バイト難民」の登場と呼べるでしょう。

＊＊＊

バイト難民が急激に増えている要因は、学生アルバイトの職種にあります。新型コロナウイルス感染拡大によって大きな影響を受けた産業は、客の減少や営業時間の短縮が行われた居酒屋などの飲食業、全国一斉休校に合わせて休みとなった学習塾業界、中止となったライブやコンサート、ウェディングなどのイベント産業、観光産業などです。

拙著『ブラックバイトに騙されるな！』には、弁護士や研究者、ＮＰＯなどによって組織された任意団体「ブラック企業対策プロジェクト」による「学生アルバイト全国調査」（二〇一四年）の結果が掲載されています（図・三七ページ）。

居酒屋や飲食店、学習塾・家庭教師、イベント設営、ホテル・ウェディング関係などで働く学生は多く、学生アルバイトの多数を占めています。また三月は春休み期間で、イベントや観光地などで短期集中型のアルバイトをする学生が多くなりますから、その比率は学期中よりも高くなります。つまり、今回の新型コロナウイルス感染拡大は、学生アルバイトの主要部分を占める産業を直撃したことになります。

バイト難民の急増は何をもたらすでしょうか？　ブラックバイトが増加した社会的背景として、学生の貧困化を挙げることができます。

＊＊＊

全国大学生活協同組合連合会の学生生活実態調査によれば、大学生への仕送り額は減り続けています。月の仕送り額一〇万円以上の比率は、一九九五年の六二・四％から二〇一九年には二七・九％まで低下し、一方、月の仕送り額五万円未満の比率は一九九五年の七・三％から二〇一九年には二三・四％まで上昇しています。

一九九〇年代半ば、月の仕送り額一〇万円以上の学生が多数を占めていた時期には、学費など学生生活に必要な費用は、親によって支えられることが多かったのです。この時期の学生アルバイトは、主として趣味や旅行など、学生が「自由に使えるお金」を稼ぐためのものでした。それに対して、現在は「学生生活に必要なお金」を稼ぐためのものが多くなっています。

二〇一三年にブラックバイトについて問題提起した時、「そんなバイトは辞めればいい」という意見が特に高齢の方から多数ありました。その意見は、学生アルバイトが「自由に使えるお金」を稼ぐためのものだった時代の感覚に基づいているように思います。現在の学生の多くは「学生生活に必要なお金」を稼いでいるのですから、アルバイトを辞めることは容易ではありません。「辞めようと思ってもなかなか辞められない」からこそ、ブラックバイトが広がったのです。

バイト難民の登場を知って、私がすぐに気になったのは、大学・短大・専門学校の前期（春学期）の学費です。三月以降、アルバイトが急減したことによって、学費を支払えなくなる学生が出てくるのではないか？　また、企業からの「内定切り」などによって、卒業生が日本学生支援機構の貸与型奨学金を返済できなくなる状況も危惧しました。

そこでツイッターとフェイスブックで、新型コロナウイルス感染拡大の影響で学費の支払いや奨学金返済に困っている声を募集したところ、多くの学生や若者からリプライがありました。

[図] これまでに経験したアルバイトの職種（複数回答）

	度数	割合(%)
居酒屋	669	18.7
ファーストフード店・チェーンのコーヒー店	550	15.4
その他のチェーンの飲食店	1046	29.3
その他の個人経営の飲食店	362	10.1
コンビニ	537	15.0
スーパー	386	10.8
アパレル	165	4.6
その他小売	553	15.5
学習塾・家庭教師	558	15.6
イベント設営	395	11.1
引っ越し	184	5.2
倉庫内作業	395	11.1
製造	104	2.9
アミューズメント関係	309	8.7
ホテル・ウェディング関係	258	7.2
試食販売、キャンペーンスタッフ	144	4.0
ティッシュ配り、チラシ配り	113	3.2
テレアポ、電話対応	44	1.2
デリバリー、配送	93	2.6
キャバクラなどの風俗関係	47	1.3
その他	230	6.4

※無回答は除外
ブラック企業対策プロジェクト「学生アルバイト全国調査」（2014年）全体版をもとにイミダス編集部が作成

〈テーマパークでのアルバイトが全くなくなってしまい、大学の前期の学費に困っている〉
〈飲食店でのアルバイトが急減したので、専門学校の四月の学費が払えない〉
〈アパレルの仕事に内定していたが、「内定切り」されてしまったので、秋からの奨学金返済が不安〉
〈大学卒業後にアルバイトをしているが、シフトが減ってしまいそうなので、秋からの奨学金返済が不安〉

このように、学費や奨学金返済に苦しむ声が集まりました。なかには〈コロナが怖いのでバイトに行きたくないけれども、学費を支払うためには行かざるを得ない〉という意見もありました。

＊　＊　＊

もう一つ気になったのが、マスコミによる「コロナ疎開」の報道です。

四月以降、休校を理由に一時帰省する学生たちの様子が「コロナ疎開」として報道されました。そこでは、新型コロナウイルス感染が拡大している都市部から、まだ広がっていない地域を求めて学生が移動している点が強調されていました。

このコロナ疎開に対して、安倍晋三首相は四月七日の記者会見で「地方に移動するなどの動きは厳に控えていただきたい。地方には重症化リスクが高いと言われる高齢者の皆さんもたくさんいらっしゃいます。その感染リスクを高めることのないようお願いいたします」と発言しました。しかし、そこにはバイト難民となって、都市部での生活に困っている学生たちの現状への認識が不足しています。

特に都市部は住居費を始めとする生活費が高いので、アルバイトが減るとすぐに困窮してしまう学生が少なからず存在します。バイト難民となったことで、学費が支払えず学籍を失ったり、奨学金返済ができなくなったりする若者が、多数出てくることは絶対に避けなければいけません。そのためには、大学・短大・専門学校の学費の延納や分納、奨学金返済の猶予を幅広く実施することが求められます。

＊＊＊

私が共同代表を務める「奨学金問題対策全国会議」は、三月一九日に文部科学省及び日本学生支援機構に対して、「新型コロナウイルス感染症の影響に鑑み貸与型奨学金の返還期限の猶予を求める緊急声明」を出しました。

【声明の趣旨】

1. 貸与型奨学金の全ての借主・連帯保証人・保証人に対し、今後、最低1年以上の期間、一律に返還期限を猶予すること。

2. どうしても一律に返還期限の猶予ができない場合には、返還期限猶予制度の利用基準を大幅に緩和し、必要な人がもれなく返還期限の猶予が受けられるようにすること。その際、特に、以下の点に留意すること。

(1) 返還期限猶予制度を利用するための現在の所得基準(年収300万円以下、年間所得200万円以下)を大幅に緩和すること。

(2) 延滞があることによって、返還期限猶予制度の利用を制限しないこと。

(3) 所得、病気、障害等について厳格な証明資料を求めず、本人の申告も含め、柔軟に対応すること。

(4) 学資金の借主・連帯保証人・保証人の全てに対し、大幅に利用基準を緩和した返還期限猶予制度を個別に周知するとともに、利用を促すこと。

(5) 相談体制を人的・物的に拡充・整備し、簡易な手続で迅速に返還期限の猶予が受けられるようにすること。

(6) 新型コロナウイルスによる市民の経済生活、社会生活への影響が消滅したことが確認されるまでの間、今後利用する返還期限猶予制度の期間は、現在の利用可能期間である10年に算入しないこと。

また四月七日には、労働者福祉中央協議会（中央労福協）と共に、新型コロナウイルス感染拡大に伴い「『奨学金返済猶予と学費支払い猶予・延納・分納』を求める緊急記者会見」を文部科学省記者クラブで行いました。私は若者のミカタとして、新型コロナウイルス感染拡大の影響で生み出されている「バイト難民問題」を可視化し、これからも社会問題として積極的に提起していきたいと考えています。

政府や行政は、学生に対する補償についても真摯に取り組むべきだと思います。学生の皆さんも相談窓口を頼るなどして、あきらめることなく苦境を乗り切ってほしいです。

二〇二〇年六月一一日　公開

「ポストコロナ」をすさんだ「差別」の時代にしないために

ジャーナリスト　安田浩一

●「武漢」をあえて強調する人たち

閉じられた店のシャッターには、臨時休業を知らせる貼り紙があった。

「武漢風邪で暫（しばら）くお休みします」

東京都内の喫茶店。特に贔屓（ひいき）にしていたわけではないが、駅前の便利な場所にあるので何度か足を運んだことのある店だった。

「武漢風邪」の文字が網膜に焼き付いて離れない。

ああ、そうだったのか。あなたも、そうだったのか。

香ばしいコーヒーの匂いも、クラシカルな内装も、寡黙で誠実そうな店主の顔も、すべてが色あせた記憶として流れ去っていく。冷め切ったコーヒーを出されたときのように、気持ちが妙にザラついた。

なぜにわざわざ人口に膾炙したわけでもない「武漢風邪」を用いなければならないのか。あえてそうすることで、差別や偏見を喚起したかったのか。それが社会に亀裂をもたらすものだという想像力もないのか。

〝非常時〟とされるときこそ、日ごろから何を見てきたのか、どこに視線を向けていたのかが浮き彫りとなる。残念ながらこの店でコーヒーをいただくことは二度とないだろう。店が差別を煽るのであれば、客も店を選ぶ権利がある。

世界保健機関（ＷＨＯ）が感染症の呼称に国名や地名などを付けることは避けるといったガイドラインを定めたのは二〇一五年のことだ。特定の地域や民族に対する攻撃、差別や偏見の助長を防ぐことが第一の目的である。さらには疾患名が疾患に対する理解をミスリードすることをも考慮している。地域名を用いることで、感染地域が限定的なものだと誤解される可能性も否定できない。

だが、それに挑むように、拒むように「武漢」を強調する者たちが後を絶たない。

「武漢風邪」「武漢肺炎」「武漢ウイルス」「武漢熱」。〝敵は武漢にあり〟とでも言いたげな物言いが、耳目に飛び込んでくる。

商店だけではない。麻生太郎財務相は二〇二〇年三月一〇日の参議院財政金融委員会で「新型とか付いているが、『武漢ウイルス』が正確な名前なんだと思う」と発言。他にも「武漢ウイルス」を呼称する国会議員、地方議員が相次いだ。

こうした物言いが、主に保守派を自認する人々、あるいは排外的な傾向の強い人々の口から発せられているところに、医学とは無関係な文脈が透けて見える。

コロナ禍の以前から抱えていたであろう「反中国」の感情だ。

それが差別の第一波だった。

●「志村けんは中国人に殺された」

誤解しないでほしい。疫病の初期対応や情報公開などに関して、中国を批判することに異を唱えているわけではない。そもそも取材をめぐって中国での拘束歴を持つ私は、同国政府や政治体制に対していかなる肩入れをする理由もない。

しかし、特定の事象を一般化し、その国に住む人々、そこにルーツを持つ人々に憎悪を向けることは間違っている。差別や偏見を煽る行為は絶対に許されない。

たとえば、新型コロナウイルスの国内感染者が初めて確認された今年（二〇二〇年）一月以降、日本社会では、中国人に対する様々な差別案件が各地で報告されている。

「中国人入店禁止」の貼り紙が掲示された飲食店や土産物店が相次いだ。

逆に〝攻撃〟される店もある。横浜・中華街の複数の中華料理店には「中国人はゴミだ！細菌だ！　悪魔だ！　早く日本から出ていけ!!」と書かれた手紙が届いた。

愛知県では、クルーズ船のウイルス感染者を藤田医科大学岡崎医療センターが受け入れた際、「外国人に税金を使うな」「中国人を追い返せ」といった抗議電話が相次いだことを大村秀章知事が明かしている。

日ごろから外国人排斥を訴えている差別者団体は、コロナ禍に便乗したヘイトデモを東京・銀座で実施した。参加者らは中国人の蔑称である「シナ人」を連呼しながら「日本に流入させるな」と叫んだ。

コメディアンの志村けんさんが新型コロナに感染し、亡くなった直後には「中国人に殺された」「日本にいる中国人は国に帰れ」といった書き込みがネット上であふれた。

コロナ禍は、もともと日本社会に溶け込んでいた差別と偏見を、〝非常時レイシズム〟ともいうべき、よりわかりやすい形で表出させたといえよう。

当初、中国人に限定されていたかのように見えた〝コロナ便乗ヘイト〟は、次第に日本在住のすべての外国人をターゲットとするようになった。

三月末、自民党・小野田紀美（きみ）参院議員は生活支援の給付金に関して、ツイッターで「マイナンバーは住民票を持つ外国人も持ってますので、マイナンバー保持＝給付は問題が生じます」と書き込んだ。給付対象からの外国人排除を訴えた発言としか読み取ることができない（真意を聞きたく同議員事務所に取材の申し込みをしたが、現在までのところ返答はない）。

ネット上ではこれに同調し、「外国人を支給対象から外せ」といった書き込みも少なくなかった。

結局、外国人（外国籍住民）という属性だけで給付対象から外されることにはならなかったが、それでもすべての外国人が給付金を受給できたわけではない。

「一〇万円（の給付金）？　私にはムリ。もらえない」

取材で出会ったネパール人の男性（三一歳、群馬県在住）はため息交じりにそう答えた。難民申請中の彼は、四月末に、コロナによる生産減で自動車部品工場の仕事を失った。給付金の支給対象は、住民基本台帳の登録者に限定される。つまり住民票を持っていない難民申請者、仮放免者、あるいは職場とのトラブルなどでオーバーステイになった元技能実習生などは給付金を受給することができないのだ。

彼はいま、友人の家に身を寄せながら、地域の支援団体が提供するわずかな米と缶詰だけで生き延びている。

そう、制度から「外された」人が日本には数万単位で存在するのだ。

●「浅ましい」のはいったい誰なのか

排他の空気が日本社会から色彩を奪う。

今春、埼玉朝鮮初中級学校幼稚部（園児四一人、さいたま市）を襲ったのは電話やメールによるヘイトスピーチの嵐である。

「国に帰れ」「日本人と同じ権利と保護があると思っているのか」――。

怒声に脅え、電話の受話器を手に取ることのできない職員もいたという。

きっかけは「マスク配布問題」だった。

三月上旬、さいたま市はウイルス感染防止策として市内の幼稚園や保育園、放課後児童クラブに備蓄マスクを配布することを決めた。ところが、市は「直接に指導監督する施設ではない」ことを理由に、朝鮮学校を配布対象から外した。

当然、同園側はそれに抗議したが、それに対し市の担当者は、配布マスクが転売される可能性を示唆したのである。

なんということか。国籍や人種にかかわらず、地域で暮らすすべての人の命と健康を守ることが地方公共団体の責務ではないか。さいたま市は、行政としての責任を放棄したことになる。

「子どもの命の線引きをされたような気持ちになった」

私の取材にそう答えたのは同園・朴洋子園長だ。

「私たちは何が何でもマスクを寄越せと言いたかったわけではありません。朝鮮学校の園児たちも同じように扱ってほしかっただけなんです」（同）

この件は新聞などでも大きく報じられ、市に対しての抗議も相次いだ。

結局、市は朝鮮学校にもマスクを配布することを決めたわけだが、今度はこれをよく思わない者たちによって、園側がヘイト攻撃を受けることになったのだ。

「浅ましい、厚かましいといった言葉を私たちにぶつけてくる人も少なくありませんでした。マスクを求めることが、子どもたちを線引きしないでほしいと願うことが、そんなにも非難されることなのでしょうか」（同）

そもそも――「浅ましい」のはいったい誰なのか。一施設につき一箱（五〇枚）しか配布されることのないマスクを出し惜しみし、差別扇動の旗振り役を務めた市のほうではないのか。差別の解消に努めるべき行政の責任を明記した「ヘイトスピーチ解消法」（二〇一六年施行）の理念を無視したことにもなる。当初決定の誤りを認めたうえで、「学校に対する差別をやめろ」と訴えることこそ、市の役割であるはずだ。

そして、「厚かましい」のはいったい誰なのか。日本人に優越的権利があるのだと主張し、人権や尊厳、地域の安全にまで身勝手な分断を強いる側ではないのか。

●行政がレイシストを扇動する

営業中のパチンコ店に出向き、「自粛しろ」と叫びながら、利用客や従業員に食ってかかる手合いも同様だろう。

彼らは訴える。「感染を広めるな」「社会の安全を守れ」云々。

本気でそう思っているのか。感染拡大を避けるのであれば、わざわざ唾をまき散らすような大声をあげながら利用客の列に割って入ることなどしないだろう。

たとえば兵庫県内のパチンコ店に押し掛けた者は、ツイッターにこう記した。

〈休業指示に従わないパチ屋ガチで追い込んだわ〉

さらにそこに続くツイートは、パチンコ産業従事者に多いとされる在日コリアンに向けたヘイトスピーチなのである。

また、こうした者たちをネットで囃し立て、扇動しているのも、これまで在日コリアンの排斥などを訴えながら街頭でのヘイトデモを繰り返してきた者たちだ。

「排外主義者」だと自認するヘイト団体のリーダーは、営業中のパチンコ店に対する嫌がらせを、自らのブログで次のように記した。

〈「日本人VS在日朝鮮人」のドンパチ（抗争）が東西で本格化したと言えるだろう〉
〈反パチンコ暴動の日本版「水晶の夜」は近し!?〉

これだけを見ても、彼らが決して感染拡大防止や社会の安全を考えているわけではないことが理解できよう。

「水晶の夜」がいったい何を意味する言葉であるのか知っているのか。

クリスタルナハト――一九三八年一一月九日、ドイツで起きたナチスによるユダヤ人迫害事件のことだ。ナチスは同夜、ドイツ全土で〝ユダヤ人狩り〟をおこなった。七〇〇〇カ所以上の商店と数百カ所のユダヤ教礼拝所が焼き討ちにあい、三万人近くのユダヤ人が逮捕された。路上には焼き討ちの残骸や砕け散ったガラス片が飛び散っていたことから、〝水晶の夜〟と呼ばれるようになったのだ。差別と偏見が引き起こした蛮行である。

わが国のレイシストたちは、このような惨事をパチンコ店への抗議活動と重ねる。在日コリアンとの闘いなのだと主張する。バカバカしい、というよりも背中の筋肉が強張るほどの怒りが全身を貫く。軽々しく殺戮を煽るような者たちに対して。

忘れてならないのは、パチンコ店への抗議に同調するレイシストを煽ったのが、またしても行政だったということだ。自粛要請に従わない店舗の名前と住所を公表し、一部の者たちが抱えた差別と偏見を、そこに誘導した。「従業員の生活を守りたい」という一概に否定することはできない店側の声も、「非国民」の合唱にかき消される。
空恐ろしい。

●拡散する「水晶の夜」

〝自粛〟期間の長期化がさらに人の心を荒廃に導くのか、排他の矛先はもはや外国人だけにとどまらず、貧困者、風俗産業従事者、そして感染者にも向けられている。

生活保護利用者に給付金は必要ないのだと著名人が訴え、同調する意見が相次いだ。同様に風俗産業従事者への偏見を煽り立てる者もいる。

感染者の素性暴きがおこなわれ、営業自粛のできない店に「出ていけ」と書かれた紙が何者かによって貼られる。

路上に飛び散ったガラス片の不気味な煌めきを、こうした風景のなかに見る。「水晶の夜」が日本社会と無縁だとは言い切れまい。

一九二三年の関東大震災では、差別と偏見、デマによって、多くの朝鮮人が殺された。いまなお自然災害が起きるたびに、外国人を危険視する書き込みがネットにあふれる。

敵を発見し、敵を吊るせ——。日本社会は常に危うげな「水晶」を抱えているのだ。

ウイルスも、そして差別も、世の中のもっとも脆弱な部分に襲いかかる。

〝ポストコロナ〟をさらにすさんだ時代としないためにも、いま、私たちにできるのは、理不尽な差別を断固として拒否することではないのか。たとえウイルスに勝ったとしても、どこかに犠牲を求める社会となってしまえば未来は暗い。

差別と排他の向こう側にあるのは——殺戮と戦争でしかないのだから。

Ⅱ 変わる法律・制度

二〇一九年九月二七日　公開

消費税一〇％時代、新たに導入される「軽減税率」と「インボイス制度」とは？

青山学院大学名誉教授　三木義一

構成・文　仲藤里美

二〇一九年一〇月一日から、消費税が一〇％となる。それに伴い、「軽減税率制度」の導入と、経過措置期間を経た上で（二〇二三年から）「インボイス制度（適格請求書等保存方式）」も始まる！　初めて聞くこの制度についてあなたは理解していますか？

●なぜ今、消費税引き上げなのか

いよいよこの二〇一九年の一〇月、消費税の税率が八％から一〇％に引き上げられます。安倍政権はこれまで、二度にわたって引き上げを延期してきましたが、今回は日本の「国際的な信用度」を守るという意図もあって、実行に移さざるを得なかったのではないでしょうか。

現政権になってから、日本の財政支出は増大する一方で、国としての「借金」は一〇〇〇兆円を超えているとされます。にもかかわらず増税回避を続けているとなれば、国際社会における国としての信用度が大きく揺らぐ可能性もあります。それを防ぐために、政府は「日本も財政規律（歳入と歳出のバランスが保たれていること）の重要性についてはきちんと意識している。将来的に財政バランスの取れた国にしていくために、国民もこの程度の負担は覚悟しているんだ」というメッセージを国際的に発信したかったのではないかと思います。

一方、ずっと「消費税率引き上げによる増収分は社会保障の充実にあてる」という説明もされてきましたが、この「建前」はほとんど崩れていると言っていいと思います。これまでの引き上げによる増収分が実際に社会保障にあてられたかどうか非常に疑わしいということは、すでに多くの人によって指摘されているところです。

加えて今回は、すでに増収分を財源として、幼児教育や高等教育の無償化の取り組みが始められているという事情もあります。教育の無償化自体は、もちろん悪いことではありません。もともと、日本の教育分野への公的支出は国際的に見ても非常に低いレベルですから、そこを強化していくことは重要だと思います。

ただ、軽減税率（一部の対象品に限って、標準税率より低い税率を適用すること）の導入やキャッシュレス決済へのポイント還元などの負担低減措置による減収がかなり見込まれることを考えても、今回の消費税率アップによる増収分の大半はその教育無償化等で使い果たされ、社会保障にまでは回らないと考えるべきでしょう。

●軽減税率の問題点

また、今回導入される軽減税率制度は、食料品などの生活必需品に限り税率を八％に据え置き、他は一〇％とする二段階の税率を設けるというもの。軽減する二％分がかなりの減収になるという以外にも、非常に問題点の多い制度です。私は、絶対に導入すべきではなかったと考えています。

間接税である消費税の仕組みには、そもそも「逆進性」という根本的な欠陥があります。所得税などは、高所得者ほど収入に対する税負担の割合が高くなる「累進性」が取られていますね。ところが消費税の場合、生活必需品を含むほとんどすべての商品に一律に課税されるため、収入に占める消費支出の割合が高い低所得者ほど、税負担の割合が高くなってしまう。このことは、数多くの調査結果からも明らかになっています。

わざわざ軽減税率を導入して制度を複雑にするのには、この逆進性という欠陥を少しでも緩和するという狙いがあったはずです。しかし、実際には食料品などに低い税率を適用しても、逆進性の緩和にはほとんど効果がないというデータが、消費税導入以前から示されてきています。莫大(ばくだい)なコストをかけてまで導入する必要のある制度だとはとても思えません。

次に、どの商品を税率八%に据え置くのかという区分けが非常に複雑で難しいという問題もあります。ひと口に「食料品は八%」といっても、そもそもどこからどこまでが「食料品」なのか。同じハンバーガーを買っても、テイクアウトなら八%なのに店で食べたら「外食」として一〇%の消費税がかかる。立派な重箱に入ったおせち料理などの、食料品とそうではないものがセットになった商品はどうなるのか……といった例はすでにかなり報じられていますね。

政府も、さまざまなパターンを想定して策を練っているようですが、実際に制度がスタートすれば、想定していなかった事例も出てくるでしょうし、しばらくはかなりの混乱が続くのではないかと思います。大きなトラブルが起これば、訴訟になる可能性もある。世界的に見ても、区分けをめぐる不合理なトラブルを避けるために、消費税を導入する場合は単一税率にしようというのが常識になってきているのに、日本はそれに逆行しようとしているわけです。

●問題点を追及しなかった新聞業界

そしてもう一つ非常に問題なのは、軽減税率が導入されれば、あらゆる業界が「自分の業界の商品に軽減税率を適用してくれ」と政治に、つまりは与党に働きかけをするようになるということです。これまでは単一税率だったからそんな声も出てこなかったけれど、二段階の税率になるとなれば、自分たちの商品は税率をできるだけ低くしてもらいたいと考えるのは当然のことでしょう。

現状でも、さまざまな業界からの献金や働きかけが、税制の制度設計に影響をおよぼしています。それが、軽減税率の導入でさらに働きかけが活発になればどうなるか。当然、軽減税率適用と引き換えに選挙における組織票をちらつかせる業界が出てくるでしょう。「税制の優遇と引き換えに、票が動かされる」という、民主主義の根幹を揺るがすようなことが起こってしまうわけです。

本来なら、メディアがこうした危険性をもっと追及するべきでした。ところが、マスメディアの一翼を担うはずの新聞は、自分たちが軽減税率を適用されたいがために、いっさいその問題点を報道せず、むしろ必要性を煽(あお)ったのです。私も、新聞にコメントを求められたときなどに、何度も軽減税率の問題点を指摘したのですが、「新聞協会の方針」を理由にすべて削られてしまいました。

結果として、軽減税率の適用品目には、食料品などと並んで「週二回以上発行される新聞(定期購読のもの)」が入ることになりました。正義を追求するはずのメディアが、自分たちの利益のために報道を規制したわけで、これは新聞業界の歴史に残る失態ではないかと思います。

軽減税率の判断が難しいケース

8%	10%
テイクアウト、出前、宅配	店内で飲食
ノンアルコールビール、甘酒	ビール、酒類
みりん風調味料 （アルコール分が1度未満）	みりん
特定保健用食品（トクホ）、 栄養機能食品	医薬品、医薬部外品
ペットボトルのミネラルウォーター	水道水
飲み物用の氷	保冷用の氷
週2回以上発行される新聞 （定期購読のもの）	駅やコンビニで販売される新聞

「朝日新聞」（2019年9月1日）、『2019年消費税改正　早わかりガイド』（日本実業出版社）を参考に、イミダス編集部が作成

●「弱い者にしわ寄せがいく」インボイス制度

また、軽減税率の導入に伴い、経過措置期間を経て二〇二三年一〇月一日に正式スタートするのが「インボイス制度（適格請求書等保存方式）」です。

事業者は、自分の売上げにかかる消費税を納付する際に、仕入れ時にかかった消費税分を差し引いて計算することができます。現状はその条件として、「取引の際の請求書や帳簿を保存しておくこと」が求められているのですが、インボイス制度導入後は、この「請求書」が、取引にかかった消費税額を正確に記載した「インボイス（適格請求書）」でなければならなくなるのです。このインボイスには、どの商品が軽減税率の対象品目なのか、八％と一〇％の税率ご

との取引額、そして消費税の合計額などが明確に記載されていなくてはなりません。

実は、消費税導入の前（一九八七年）に国会に提出された「売上税法案」にも同じような制度が含まれていたのですが、インボイスを発行できない中小業者は取引から排除されてしまうために小規模事業者からの反対の声が大きく、実施は見送られました。そして一九八九年から、帳簿と請求書を保存しておけばいいという「請求書等保存方式」による消費税制度がスタート。それが今回、税率が二段階になって複雑化するため、税額をより明確に把握して納税漏れのないようにしようということで、インボイス制度が導入されることになったわけです。

しかし、この制度が導入されると、仕入れ先から受け取った請求書が詳細の書かれていない旧来の請求書（インボイス形式ではないもの）だと、仕入れの際にかかった消費税が控除されなくなります。当然、事業者としては取引先に「インボイスを発行してくれ」ということになりますが、きちんとしたインボイスを発行するためには「インボイス発行事業者」として税務署に申請して登録を受け、インボイス上に事業者登録番号を明記する必要があります。そしてこの登録を受けた事業者は、消費税の納税義務が出てくるのです。

これまでは、年間の課税売上高が一〇〇〇万円以下であれば、「消費税免税事業者」を選択することもできました。それでなんとかやってきた小規模事業者も、取引先から求められればインボイス発行事業者の登録を受けるために課税事業者を選択せざるを得ないでしょう。「インボイスを発行できないのなら、取引を打ち切る」などと言われるケースも、当然出てくると思います。

売上げは変わらない——どころか、取引先から消費増税分の値上げを拒否されて、自分でその分を負担しなくてはならないケースも多いはずです。そこに加えて一〇％の消費税を支払わなくてはならなくなるのですから、事業を継続していけなくなる小規模事業者も出てくるのではないでしょうか。結局は、弱いところにしわ寄せのいく制度だと言えると思います。

●税金の使途の透明化を

今の日本の財政を立て直すために、税制において何らかの施策が必要なことは否定しません。しかしそれは、消費増税一本槍（いっぽんやり）ではなく、たとえば株の配当金や譲渡益についてもしっかりと課税するなどの策も同時に検討すべきでしょう。

特に考えるべきは、法人税についてです。近年、世界で企業誘致のための「法人税の税率割引競争」ともいうべき事態が起こっていて、日本でも法人税の引き下げが続いてきました。しかし、そんなことを続けていたら、いつかは「法人税率ゼロでないと企業に来てもらえない」ということになってしまうと思います。私は、日本が取るべき道は、そんな割引競争にいつまでも振り回されるのではなく「わが国では、ちゃんと適切な税率で法人税を納めてもらいます。

かわりに、日本でビジネスをすればこんなメリットがありますよ」と、別の価値を提示して独自の道を進むことだと考えています。

同時に、税金の使いみちについても、もっと透明化を徹底すべきです。せっかく税金を納めても、どのように使われているのか分からないし、無駄な使い方がされてもその責任を誰も取らないという仕組みが、この国ではずっと続いてきました。

よく知られているように、スウェーデンなどの北欧では税金が非常に高く、日本の消費税にあたる税金の税率も二五％前後です。しかし、かわりに医療費や教育費は無料、老後の保障も手厚いなど、毎日の生活の中に、税金が有効に使われているという実感があります。対して日本の私たちは、税金をきちんと払えばその恩恵は自分たちに返ってくる、そういう幸福感をずっと持てないまま来たのではないでしょうか。

本来ならば選挙の際に、各政党がきちんと「私たちは税金をこういうことに使います」と、もっとクリアに説明するべきです。たとえば……ある政党は、増税分を防衛費に回す。こちらの政党は教育費に回す。そのためには税率をこのくらいにする必要がある、とそれぞれがしっかり示した上で、国民に判断させるべきだと思うのです。選挙のときにはどの政党も「減税します」しか言わず、政府は税金の使いみちをひた隠しにしているかのような、こんな不健全な状況はそろそろ変えていくべきではないでしょうか。

これまで国民の側も、あまりに税制や税金に無関心で、誰かに「お任せ」しているという意識が強すぎたと感じます。今回の消費税率アップと軽減税率導入を機に、もっと多くの人に「税」を身近なものとしてとらえてほしい。そして、「ここがおかしい」と思ったときにはきちんと怒りの声を上げながら、誰もが「なるほどね」と納得できるような公正な仕組みをつくっていこうという姿勢を持ってほしいと考えます。

【付記】 消費税率一〇%・軽減税率制度は、二〇一九年一〇月より実施された。インボイス制度の導入も予定通り、二三年一〇月からとされている。なお、キャッシュレス決済へのポイント還元制度は二〇年六月末日に終了した。コロナ禍で歳出はさらに増え、税収はさらに減ることになる。国家破産が現実化するのか、現実化しないとしたらこれまでの財政均衡理論は正しかったのか。正しくなかったのなら、本来どんな財政運営が望ましいのか等々、私たちには大きな難問が待ち構えています！〔著者〕

二〇一八年九月一四日　公開

水道法改正で本格化する水道事業の民営化

水ジャーナリスト　橋本淳司

構成・文　樫田秀樹

日本の水道は、山間部で住民が管理する簡易水道などを除いて、基本的に公営である。今、その公営水道の維持が難しくなっている。数十年前に埋設した水道管などの老朽化に対応しなければならないのに、それに必要な水道代という財源が、節水技術の向上や人口減少などで減っているからだ。さらに水道事業に携わる職員も三〇年前に比べて三割も減少している。

二〇一八年の第一九六回国会で、衆議院では可決したが、参議院では審議入りすることなく次期国会での継続審議となったのが「水道法改正案」だ。

水道法改正の目的は、厚生労働省の資料「水道法改正に向けて」によれば、水道事業における、（一）関係者（国や自治体）の責務の明確化、（二）広域連携の推進、（三）適切な資産管理の推進、(四)官民連携の推進等とされているが、国がもっとも実現したいのは、水道事業の運営を民間企業に任せる民営化だ。

民営化により何が起きるのか。また私たちは自分たちの水をどう守るべきなのか。水問題に詳しい橋本淳司さんに聞いた。

●なぜ今、水道法を改正しようとしているのか?

——橋本さんは今回の水道法改正案をどう評価していますか?

橋本　大枠では賛成しています。今の水道事業は個々の自治体が運営していますが、小さい自治体など財政基盤が弱いところは事業の維持が難しい。私は一つの自治体が一つの水道を持つことを理想と考えますが、人口減少が大きく進む地域などは、同じ流域にある複数の自治体が連携して水道事業を行う広域化を進める必要があります。

また施設の老朽化に対して、古い浄水場や古い水道管がどのくらいの古さでどこにあるかという情報の集約ができていない自治体も多いので、そういう資産管理が推進されて初めて老朽化対策ができるはずです。その点は評価できます。

ただし改正案の問題は、コンセッションという官民連携の方式にあります。コンセッションとは、施設の設計や建設のすべてを担う完全な民営化ではなく、水道管や施設は公有のままで、その施設の運営権を民間に委ねる方式です。

――コンセッションの問題点は何でしょうか？

橋本　今の制度では、水道料金は水道事業だけに使われますが、コンセッションになると、その企業の役員報酬、株主配当、税金などにも使われ、普通に考えればコスト高になります。また運営を長期間にわたって企業に任せるため、責任の所在やお金の流れなどの経営情報が不明確になります。今回の法改正では、この方式を選択した自治体に税制面での優遇措置が取られています。政府はコンセッションも選択肢の一つと言いながら、それを自治体に優先的に検討させる仕組みになっていることが問題です。

また、コンセッションの負の面に対し、欧州で用意されている予防策も考えられていません。たとえば、フランスでは契約の履行管理のためのモニタリングを自治体が責任を持って行うことが重要であるという観点からＫＰＩ（key performance indicator：戦略目標や目標を達成するために重要とされる業績評価指標）を定めています。また、労働者保護の観点から、水道事業に従事していた官の職員の受け入れを民間が提案することで雇用が確保されることになっています。

さらに自治体がコンセッションを検討するにあたり、公共サービスの経営や民間委託に関する契約のチェック等、法務・財務・技術の多方面から自治体のアドバイザリー業務を専門とするコンサルタント会社の存在が必要となります。こうしたことについて触れられていません。

●なぜ水道法改正に関心が高まらないのか?

――私たちの生活に不可欠な水が地元の自治体の手から離れ、民間企業に運営されることには不安を覚えます。それにしては、世間でこの話題がほとんど認識されていないように思います。

橋本　まず、国会議員ですらこの法案をよく理解していません。今回の衆議院での審議時間だって、厚生労働委員会と本会議、合計でたった八時間弱ですよ。こんなに短かったら、マスコミの記事にもなりません。

一般市民もやはり関心がないですね。というのは、日本人は蛇口をひねれば水が出るのが当たり前と思っているからです。おそらく、自分の自治体の誰が水道を管理しているのかについての認識すらない。そういう意識では、民営化と言われてもピンと来ないと思いますよ。公営水道というのは市民の水道を公が代行して維持管理しているということです。つまり、市民のものなのです。それが部分的にであれ民営化されていくということは、市民からは遠くなっていくということです。

●水道料金の値上げは避けられないのか？

――一部の市民団体や議員は、外資の運営参入によって水道料金が値上げされてしまうと訴えています。しかし、厚労省の資料でも、二〇一五年時点で日本の水道管の総延長約六七万キロメートルのうち一三・六％（約九万キロメートル）もが法定耐用年数の四〇年を超えていて、今のペースの管路取り換えでは、その更新に一三〇年以上かかるとの数字も出ています。外資が入らなくても値上げは避けられないのではないでしょうか？

橋本　その通りです。水道事業は基本的には自治体が独立採算制で運営しています。水道管、浄水場などの設備の維持・更新費は上がり、水道事業を支える人口が減少しているため、現状の設備を維持しようとすれば水道料金は上がります。このような悪い状況でも企業が運営するとなれば、利益を出さなくてはなりません。ましてや役員報酬や株主配当という新たなコストも発生します。利益を出すにはさらなる値上げ、もしくはサービスの低下が起きるでしょう。

値上げの事例はたくさんあります。たとえばフランスのパリ市では、一九八五年に民営化され二〇〇九年までで二六五％値上がりしました。イギリスでも、定められた料金帯の上限まで値上がりしました。凄まじいのが南米ボリビアのコチャバンバ市の事例です。一九九九年に民営化され、上限いっぱいまで値上げした結果、月一〇〇ドルの収入しかない貧困層に二〇ドルもの水道料金を課し、払えない家庭には水供給を停止したことで、市民の反対運動がついに暴動に発展し、二〇〇〇年四月には六人が死亡したほどです。同様のことは、ベルリンやクアラルンプールでも起きました。

――民営化で逆に値下がりすることは難しいのでしょうか？

橋本　「民間企業同士の競争によって値下げやサービス向上」と言われますが、水道事業は地域において一社独占になりますから、そのようなことは難しいでしょう。

●水道民営化によるデメリットとは？

――値上げの他にもデメリットはあるのでしょうか？

橋本　会社にもよりますが、水道サービスの悪化です。アメリカのアトランタでは、一九九九年に民営化されてから、基準値までの浄化を行わなかったために水質が悪化しました。二〇〇三年に再公営化されています。

そして、もう一つある問題は、経営の不透明さです。ひとたび民営化されると、一つの会社が二〇年、三〇年という長期にわたって運営するために情報が隠蔽されがちになります。たとえば、パリでは民営化時には、営業利益は七％台と報告されていましたが、その後二〇一〇年の再公営化で帳簿を調べると、じつは一五％から二〇％もあったことや、税金も払っていないことが明らかになりました。利益の多くは役員報酬に回されていたんです。

――再公営化という言葉が出ましたが、民営から再び公営に戻す動きは多いのでしょうか？

橋本　二〇〇〇年から二〇一四年の間に世界で一八〇件が再公営化されています（図）。パリ、ベルリン、ジャカルタ、アトランタ、コチャバンバなど。パリでは再公営化で水道料金が八％下がりました。やはり市民からの反対の声が上がり、最終的には議会に諮られ、自治体が再公営への決断をしたということです。

――でも海外ではまだ民営化されたままの地域が多いのですか？

橋本　外資が海外で水道事業を展開するときは、先に述べたコンセッションという公設民営方式を採用します。つまり、施設の設計や建設のすべてを担う完全な民営化ではなく、水道管や施設は公有のままで、その施設の運営権を民間に委ねる方式です。フランスではまだ多くの自治体でコンセッションが行われています。ですが、アフェルマージュという企業の関与を少なくした手法への転換、委託期間の短期間化が起きています。

ただし、再公営化は簡単ではありません。譲渡契約途中で行えば違約金が発生するし、投資

[図] 世界35カ国180都市で再公営化

2000年～2014年  高所得国 136  中低所得国 44  180

2005年～2009年→41件
2010年～2014年→81件

＊この5年間で
前の5年間より倍増している。

主な民営化失敗原因	
①事業者の業績不振	多くの都市であり
②過小投資	ベルリン(ドイツ)、ブエノスアイレス(アルゼンチン)など
③運営コストと資材の値上げを巡る紛争	マプト(モザンビーク)、インディアナポリス(アメリカ)など
④急上昇する水道料金	ベルリン、クアラルンプール(マレーシア)など
⑤民間事業者に対するモニタリングの困難さ	アトランタ(アメリカ)など
⑥不透明な財務状況	グルノーブル(フランス)、パリ(フランス)、ベルリンなど
⑦雇用カットと水道サービスの劣化	アトランタ、インディアナポリスなど

「世界的趨勢になった水道事業の再公営化」(PSI-JC、PSIRU、Multinationals Observatory、TNI)をもとにイミダス編集部が作成

家の保護条項に抵触する可能性も高い。ドイツのベルリン市では受託企業の利益が三〇年間にわたって確保される契約が結ばれていました。二〇一三年に再公営化を果たしましたが、企業から運営権を買い戻すために一三億ユーロという膨大なコストがかかりました。

また、ブルガリアのソフィア市では再公営化の動きがあったものの、多額の違約金の支払いがネックとなってコンセッションという鎖に縛り付けられたままです。

●どうして日本では民営化なのか?

――水道事業の民営化といっても、日本の水道事業を狙う外資はいるのですか?

橋本　フランスのヴェオリア・エンバイロメント社(以下、ヴェオリア)とスエズ・エンバ

イロメント社（以下、スエズ）は水道事業の二大巨頭です。ヴェオリアは複数の事業会社（水、エネルギー、廃棄物処理など）のコングロマリットで、グループの売り上げは年間三兆円を超えます。そのうち、水道事業は世界約七〇カ国で展開し、約一兆二九六〇億円を売り上げています。スエズは上下水道事業を一三〇カ国で展開しています。

ヴェオリアの日本法人は運営を任されるのではなく、単なる事業委託という形で、二〇〇六年に埼玉県と広島市で下水道維持管理の包括委託をあわせて三五億円で受注し、二〇〇七年には、千葉県での下水道施設運転の契約を結ぶなど、既に日本で活動しています。このヴェオリアに加えて、いよいよ、運営ということで日本を狙うグローバル企業が現れました。スエズやアメリカン・ウォーター・ワークスも動いているとされています。

世界規模で水道民営化・コンセッションをリードしてきたのは、前述の二社の他、フランスのＳＡＵＲ、ドイツのＲＷＥ、スペインのアクアリア、アメリカのユナイテッド・ウォーターなどがあります。

——グローバル企業が日本を狙うのには何か理由があるのでしょうか？

橋本　二〇一三年四月一九日、麻生(あそう)太郎財務大臣が、アメリカの保守系シンクタンク、ＣＳＩＳ（戦略国際問題研究所）での記者会見で、「日本の水道をすべて民営化する」と発言したことが大きい。自由民主党は以前から水道民営化を推進しようとしていましたが、この発言でグローバル企業がやる気になったと思います。

――日本でもコンセッションで民営化されるとのことですが、麻生大臣の言うようにすべての公営水道が民営化されてしまうのでしょうか？

橋本　いえ、そうはなりません。企業は利益を上げなくてはならない存在です。企業が利益を上げるには給水人口が多く、今後の人口減少が少なく、施設の老朽化も進んでいない自治体がターゲットになります。たとえば、最低でも三〇万人規模の給水人口のある自治体です。現在、その規模の水道事業を有する自治体は日本には六七あり、外資はここに照準を合わせることになります。逆に言えば、給水人口が三〇万人以下の水道事業はペイしませんから対象外になります。

――しかし、給水人口の少ない事業を合併し、広域化すれば乗ってくる可能性もありますか。

橋本　日本のＰＦＩ（private finance initiative：公共施設等の建設、維持管理、運営などに、民間の資金やノウハウを活用する手法）事業は費用積算の面で海外と差があるので儲(もう)かりにくいのですが、広域化によって事業規模を大きくすることで「儲かるＰＦＩ」にすることができます。ですからこの手法の推進を狙う金融関係者もいます。ただし、複数の自治体が協力して水道事業を広域化することと、コンセッションとを組み合わせるのは、手続きがとても複雑になるので、経営情報の開示はさらに難しくなるでしょう。

●水道民営化はどこの自治体で始まるのか？

――もし水道法改正案が成立した場合、ヴェオリアなどはどうやって参入するのでしょうか？既にコンセッションでやりたいとの意向を示している自治体はあるのですか？

橋本　現在、コンセッションに前向きなのは六つの自治体です。「宮城県」「浜松市（静岡県）」「伊豆の国市（静岡県）」の三自治体は、コンセッション導入に向けての調査を二〇一七年度に終了し、「村田町（宮城県）」は資産評価に着手し、「大阪市」と「奈良市」はコンセッション導入のための条例案を策定しました。大阪市では廃案、奈良市では議会が否決しましたが、導入を検討する意向は維持しています。

――もしコンセッションを導入した場合でも、企業にブラックボックスのような運営をさせないためには監視組織のような「第三者機関」も必要ではないでしょうか？

橋本　チェック機関である第三者機関を置くのがコンセッションの前提です。でも、今回の法案では、この第三者機関の設置は盛り込まれていません。また、ついでに言っておくと、一口に第三者機関と言っても、それは弁護士、会計士、水道の専門家などのプロの集まりになるので、その人たちへの支払いにもお金がかかる。このことからも、コンセッションをやるには、ある程度大きい水道事業でなければなりません。

コンセッションでは他にもお金がかかります。たとえば、浜松市が二〇一八年四月に、ヴェオリア・ジャパンを代表とする国内六社でつくる特別目的会社「浜松ウォーターシンフォニー」に、下水道の運営を委託しました。コンセッションです。運営期間は二〇年。その契約書の控えを入手しましたが、浜松市のコンセッション契約書は、一〇二条からなる四三ページの文書と、別紙の三七ページの文書、合計八〇ページもあるものです。これら詳細にわたる文書を作成したり、内容を逐一読み解いたりできるのは大手法律事務所だけです。ここにも多大な税金が使われます。

●日本の水道「命の水」をどう守っていくのか?

――一般市民が望むのは、いつでも質のいい水を安価で使えることです。それを維持していくためには、私たちはこのコンセッションをどう考えたらいいのでしょうか?

橋本　まず国に言いたいことがあります。この法案が出てきたとき、加藤勝信厚労大臣は「コンセッションについては選択肢を増やしたに過ぎない」と表明しました。しかし、政府の方針は「コンセッションをやらないのなら、自治体で水道事業を継続せよ」といったもので、水道事業に必要な財源に苦しむ自治体にすれば、どうしても民営化に舵を切らざるを得ない環境に置かれています。選択肢というのであれば、どういう選択肢があるのか、それを明らかにすべきです。

そして自治体に言いたいのは、安易に「コンセッションに飛びつくな」ということです。水問題とは、水を預かる自治体の姿勢を問う問題でもあるんです。これは水道問題に限りませんが、地方自治体の問題は、国の言うことを疑問もなく鵜呑みにすることです。特に水道事業に関しては、その財政難からお荷物扱いにしたり、誇りを持てないままでいたりするのが現状です。このままでは、地方の市町村の水道は都道府県に握られ、都道府県の水道は国に握られ、最終的には外国資本に握られることになりかねません。

しかも重要なことはコンセッションでは、企業が運営に失敗しても、その最終責任は自治体が持つことになっています。また、コンセッションで運営されたのち、やはり再公営化しようと思っても、元に戻すにも経営権を買い戻したり、企業が受けるはずだった将来利益を補償したりで、滅茶苦茶お金がかかります。まず初めに、自分たちの目指す水道事業のビジョンを描くべきです。

コンセッションでは給水人口の少ない水道事業は対象外となります。だから、「よかった」ではなく、それら多くの地域では、施設老朽化がある以上、無策のままでは必要以上の値上げを強いられます。つまり、コンセッションの有無にかかわらず、自治体は「自分たちの水」を守るための何かをしなければならないはずです。

私たちが根本的に考えるべきは、給水人口が少ない自治体でも質のいい水道サービスをどう維持するかということです。じつは、人口が減少している地方の水道施設の稼働率は五〇％前後のところもあります。経済成長期にあちこちに水道施設を造ったため過剰な状態になり、一つ一つの施設の稼働能力が低いんです。つまり、余った施設の維持管理に漫然とお金をかけているのを見直す必要があります。

——見直した自治体はありますか？

橋本　岩手県の岩手中部水道企業団（二〇一四年創立。紫波町（しわちょう）、北上市、花巻市をカバー）が改革を実施しました。ここには三四の浄水場があったのですが、稼働率が低い施設などを廃止し、二〇二五年までに二一施設まで減らす予定です。今では浄水場の稼働率が八〇％を記録しています。不必要な施設がなくなったことで、その維持管理費も削減できたわけです。つまり、水道事業の財源が厳しくとも、だからといってすぐにどこかの企業に頼るのではなく、まずは足元の水源をどう守るかの姿勢が大切だと思います。

日本は今、人口減の時代に入りました。今後も不必要な施設が次々と出てくるわけですが、それを潰したり統合したりというダウンサイジング（規模縮小）を図っていくことが必要です。水道事業を広域化して水源の見直しを図ったり、水道施設の運営効率を上げていくことや、逆に、数軒しか家がないような集落では独立型の水道を考えるなど、様々な対策を講じていかなければ質のいい水は確保できません。

そのために必要なのは人材育成です。コンセッションで民間企業に任せきりにしていては人材は育ちません。どんなに財政難といっても、水道事業に携わる人材を育成するくらいの金はどこにもあります。そして、水は憲法二五条の生存権に関わることですから、地域の水を地域に責任を持って届けるにはどうすればいいかのビジョンを持つ。私はここから考えるべきだと思います。

【付記】改正水道法は二〇一八年一二月の第一九七回臨時国会で可決、成立（翌年一〇月一日施行）。二〇一九年一二月一七日には宮城県議会が条例改正案を可決。水道法改正後、全国で初めて水道三事業（上水道、下水道、工業用水）へのコンセッションの導入が決定した。［編集部］

二〇一九年二月一日　公開

改正入管法による外国人労働者の受け入れ拡大が始まる！

「特定技能」制度の問題点とは？

弁護士　指宿昭一
構成・文　仲藤里美

不十分な国会論議のすえ、日本は、二〇一九年四月から新たな在留資格にもとづく外国人労働者に対し、門戸を開くことになった。あれよあれよという間に、出入国管理法が改正されたことで、これからどんな社会になっていくのだろう？と思った人も多いかもしれない。この改正にはどんな問題点があるのか？

●日本は本当に「外国人労働者を受け入れてこなかった」のか

二〇一八年一二月、外国人労働者の受け入れ枠を拡大する改正出入国管理法（改正入管法）

が成立しました。

これまで日本政府は、外国人労働者の受け入れについて、研究者やエンジニアといった専門的・技術的分野に限定するという方針を採ってきました。それが今回の改正法は、「特定技能一号」及び「特定技能二号」という新たな在留資格を創設することによって、これまで「受け入れない」としてきた、専門的・技術的分野以外の非熟練労働者――いわゆる「単純労働者」にも受け入れ対象を拡大しようとするものです。農業、建設、介護、宿泊など、全部で一四業種がその対象となっています（図1）。

しかし、そもそも日本がこれまで非熟練の外国人労働者を受け入れてこなかったというのは本当なのでしょうか。

実は、厚生労働省が発表した「『外国人雇用状況』の届出状況まとめ」によれば、一八年一〇月末現在、日本で就労する外国人労働者は約一四六万人（特別永住者、在留資格「外交」「公用」の者は除く）。そのうち専門的・技術的分野の労働者として在留資格を有するのは約二七万七〇〇〇人、たった一九％に過ぎません。それ以外の大半を占めるのは日系二世・三世を中心とする定住者、そして技能実習生やアルバイトをしている留学生で、その多くが非熟練労働者だと考えられます（図2、図3・八三ページ）。

つまり、今回の改正法が成立するまでもなく、日本はすでに、専門的・技術的分野以外で働

[図1] 改正入管法（2018年12月）で創設された在留資格

新たな在留資格	特定技能1号	特定技能2号
条件	・相当程度の知識又は経験を要する技能が必要。 ・最長5年の技能実習を修了するか、技能と日本語能力試験に合格すれば資格を得られる。	熟練した技能が必要。
在留期間	通算5年が上限。 1回当たりの在留期間（更新可能）は、1年、6ヵ月又は4ヵ月。	上限なし。 1回当たりの在留期間（更新可能）は、3年、1年又は6ヵ月。
家族の帯同	基本的に不可。	要件を満たせば可能。
想定業種	介護、ビルクリーニング、素形材産業、産業機械製造、電気・電子情報関連産業、建設、造船・舶用工業、自動車整備、航空、宿泊、農業、漁業、飲食料品製造、外食の14業種を想定。	建設、造船・舶用工業の2業種を想定。

・1号、2号ともに、ある程度日常会話ができ、生活に支障がない程度の日本語能力を有することが基本。
・受け入れ機関は、外国人との間で所要の基準に適合した契約を締結するとともに、当該契約の適正な履行等が確保されるための所要の基準を満たさなければならない。
・登録支援機関は、所要の基準を満たしたうえで、新設される出入国在留管理庁長官の登録を受けて支援を行う。

指宿昭一氏監修によりイミダス編集部が作成

く外国人労働者を大勢受け入れてきていたわけです。コンビニや居酒屋に行けば外国人の店員がたくさん働いている姿を目にするわけで多くの人がそのことを実感しているところでしょうし、製造業や縫製業の中小零細企業でも、多くの外国人労働者を見かけるようになっています。

ただ、問題はその「受け入れ方」です。「技能実習」というのは本来、技術や技能の移転を通じて途上国の人材育成に貢献することを目的に掲げた制度ですが、実際にはほとんどまともな実習・研修が行われていないケースも多く、企業の安価な労働力確保の手段として機能してきました。従来から、低賃金や未払い、労働環境の劣悪さなどが実習生に対する人権侵害だとして国内外から批判を受けています。また、「留学生」の在留資格には一定条件の下でのアルバイトが認められていますが、これを利用して、最初から勉学ではなく就労、つまりは出稼ぎを目的として「留学生」の在留資格で来日する外国人も多くなっています。

つまり、日本においては、非熟練の外国人労働者を、フロントドアからは受け入れないけれど、バックドアやサイドドアからは受け入れるという「まやかし」がずっと続けられてきたのです。私は、こうしたいびつな構造を是正するために、きちんとした外国人非熟練労働者の受け入れ制度を設けるべきだと主張してきました。ですから、今回の改正法によって、フロントドアからの受け入れ方針が示されたこと自体は前進だと考えています。

●送り出し国と日本、双方のブローカー規制を

一方で、今回の改正法に、大きな欠陥があるのも事実です。私がもっとも問題だと考えているのは、現状の技能実習制度において、人権侵害の要因となっている「ブローカー」についての規制がほとんどないことです。

技能実習生の母国においては、「送り出し機関」と呼ばれる民間団体が送り出しのプロセス

[図2] 在留資格別外国人労働者の割合

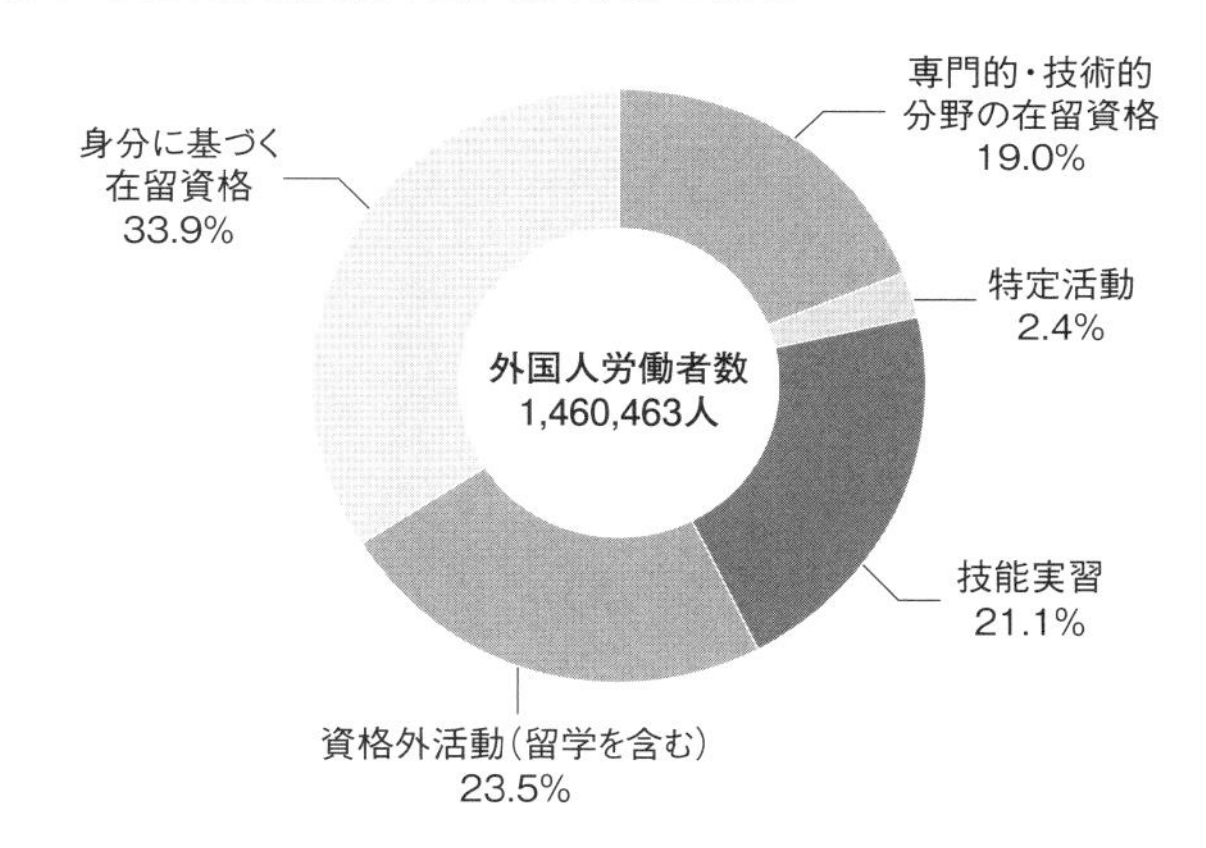

[図3] 産業別外国人雇用事業所の割合

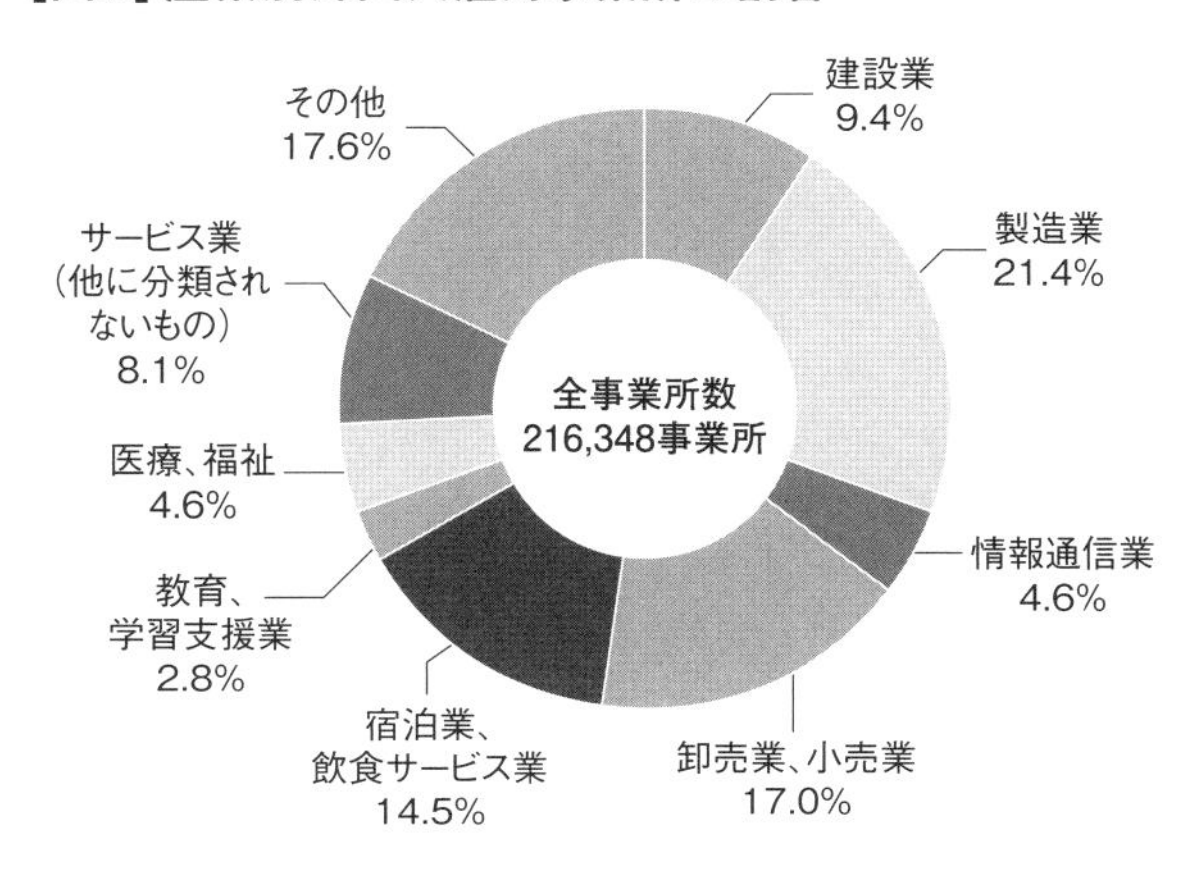

厚生労働省「『外国人雇用状況』の届出状況まとめ(平成30年10月末現在)」をもとにイミダス編集部が作成

に関与しており、「渡航前費用」として多額の費用を徴収しています。たとえば今、ベトナムにおける渡航前費用が、一人一〇〇万円前後になっているようです。

結果として、実習生は日本に来て働き始めた後も、一～二年は借金を返すだけで精一杯。もし途中で解雇されたりすれば借金だけが残るという、まるで奴隷のような状況で労働を強いられているのです。

改正法によって創設される「特定技能」制度においても、何も策を講じなければ、同じような問題が起こってくる可能性が極めて高くなります。政府は、業者による「保証金の徴収」などについては省令で規制を設けると言っていますが、保証金というのは、労働者が就労先から逃げるなどのトラブルの際のペナルティーのために徴収されるもので、渡航前費用とはまったく別物です。渡航前費用については、政府は金額についても内容についても規制をしていません。

また、実習生は本来、「日本人労働者と同等の賃金を受け取る」ということになっていますが、多くは最低賃金ぎりぎり。それもさまざまな名目で搾取されて、実際に実習生が受け取る額は、最低賃金を大きく下回っていることも多いのが現状です。二〇一八年末に野党が、就労先から失踪した実習生に対する法務省の聞き取り調査結果を分析し、国会で追及しましたが、それによれば失踪者の七割近くが最低賃金を割っていたといいます。

では、実習生を雇用している企業がそのぶん得をしているのかと言えば、必ずしもそうとは言えません。実は、技能実習制度の「監理団体」として政府の許可を受けた民間団体が実習先に対して、実習生一人当たりにつき月に三万～五万円、場合によってはもっと多額の費用を徴収しているのです。多くの監理団体は数百人単位で実習生を監理していますから、相当な利益になるでしょう。

「特定技能」制度においても「登録支援機関」という、実習制度における監理団体に近い立場の機関が設けられる予定になっています。現在の監理団体がそのまま登録支援機関に横滑りする可能性は非常に高いし、そうなればまた同じような問題が起こることが避けられないでしょう。「特定技能」資格でやってくる外国人労働者の人権を守るためには、こうした送り出し国、受け入れ国双方のブローカーや民間団体の関与を規制することが絶対に必要だと思います。

加えて、技能実習制度の今後についても議論が必要です。外国人労働者受け入れについての議論を重ねていた自民党の「外国人労働者等特別委員会」で、委員長を務めた木村義雄参院議員は、技能実習や研修という名目で外国人労働者を受け入れるのは「カラスは白い」と言うようなものだ、と発言していました。つまり、今回の法改正にあたっては、きちんとカラスを「黒い」と言おう、バックドアやサイドドアからの受け入れをやめて正面から受け入れようという意図が、政府にもはっきりとあったはずなのです。

であれば、本来は技能実習制度自体を廃止するということになるべきなのに、そういう話はまったく出てきません。このままでは、「特定技能」制度もまた、技能実習制度の延長として、問題点をこのまま引き継いでいくことになりかねない。私は、技能実習制度は直ちに廃止すべきだと考えていますが、遅くとも二年後の入管法改正の見直しの際（二一年）に廃止すべきです。

●今に始まったわけではない「白紙委任」

また、改正法成立にあたって、野党はこの法律に、「政令や省令で定める」としている未定事項が多すぎるという点を強く批判しました。重要事項をすべて政府に白紙委任しているようなものだ、というわけです。

この批判は、基本的に正しいと思います。ただ、多くの人が見落としているのは、そもそも入管法とは以前からずっとそういうものだったのだということです。

たとえば、企業が外国から研修生を受け入れる外国人研修制度が導入されたのは一九八九年の入管法改正のときですが、これは法律の別表に挙げられている「在留資格一覧表」に、「研修」という資格を新たに加えただけで、詳細は省令に委ねられました。その後九〇年に、企業単体ではなく商工会議所などの中小企業団体を通じた受け入れを可能にする「団体監理型」の研修生受け入れが始まるのですが、これは法改正さえなく、法務省の告示のみで決定されています。

さらに、九三年には技能実習制度がスタートしますが、このときにも法改正はなく、やはり法務省の告示のみで制度がつくられました。「技能実習」という在留資格が法で定められたのは二〇〇九年、制度の開始から一六年も経ってからです。

だから、「白紙委任だ」というのはそのとおりなのですが、その意味では今までもずっと白紙委任だったと言えます。技能実習制度や外国人の在留をめぐる政策については、ほとんどすべてが法務省や法務大臣のフリーハンドに委ねられ、何もかもが政省令で決められる状況にあったわけです。

さらに言えば、省令さえなく、入管や法務省の裁量で決められる範囲も非常に大きい。たとえば、在留資格がないのに日本に滞在している外国人は、入管施設に収容されますが、これは刑事事件と違って、裁判所による令状も必要ありません。入管内部だけのチェックで収容できるのです。しかも、収容期間には上限が定められておらず、理論上は一〇〇年でも収容できるということになっています。

こうして見ていくと、日本は外国人に対しては法治国家ですらない、と言えると思います。外国人の人権など、そもそも認めようとしていない――正確に言えば、在留資格の範囲内のみで認めてやろう、と考えているとしか思えない。この国では、在留資格のほうが憲法や、そこに定められた人権よりも上にあると言えるでしょう。

そうした「ブラックボックス」とも言える入管法の問題点が、国会審議の中で少しなりとも明らかにされたのはよかったと思いますが、まだまだ正しく理解されているとは言えません。今回の改正法はたしかにひどいけれど、今までもずっとひどかったし、この先もずっとひどいままかもしれない。そういう視点から、この問題を見ていただきたいと思います。

今のままでは、中国やベトナムなど他のアジア諸国が急速に経済発展している中、技能実習生に対する人権侵害などさまざまな悪評が広がりつつある日本は、外国人労働者からも「選ばれない国」になっていくかもしれない。私はそう考えています。

●日本人にも、外国人にも住みやすい社会を

さらにもう一つ、考えていただきたいことがあります。

今回の入管法改正は、非熟練の外国人労働者の受け入れを正面から認めるという点で、戦後日本の出入国管理政策の大転換と言っていいものです。当然、日本という国のあり方にも大きくかかわってくる。それを、こんな中身も不十分な法律改正だけで進めてしまっていいのでしょうか。

本来なら、少子高齢化が進む日本の中で、どう外国人労働者を受け入れ、社会の中に位置づけていくのか、国のグランドデザインをしながら議論を進めていく。そして、たとえば「多文化共生基本法」といった理念を定める基本法をまず制定し、それとセットで入管法の改正を行うべきだったと思います。

よく「移民が増えると、犯罪の増加などさまざまな問題が起こる」と言われますが、これはまったくの間違いです。正しくは、「移民の受け入れ方に失敗すると問題が起こる」と言うべきだと思います。

たしかに、ヨーロッパなどでは失敗した例が多いのも事実。でも一方で、日本でも地方自治体レベルでは、多くの日系人が地元住民と共生しながら暮らしている静岡県浜松市など、たくさんの成功例があります。二〇〇一年には「外国人集住都市会議」という、外国人住民の多い自治体の全国ネットワークがつくられ、多文化共生に向けたさまざまな取り組みを進めてきているのです。

だから、日本で外国人住民がさらに増えていったときに、差別や犯罪などの問題が起こるかどうかは、これからの施策によるのだと思います。現状のように、きちんとした多文化共生政策もないままに受け入れが進めば、悪い方向に行ってしまう可能性が高いでしょう。自治体への負担が多くなり、受け入れに失敗した自治体では差別や分断が生まれてくるといったことは十分にあり得る。そうならないためにも、国全体としての受け入れ方針、多文化共生の理念が絶対に必要です。

もちろん、国の施策だけではなく、民間レベルでの支援もますます重要になってくるでしょう。NGOの活動はもちろん大事ですが、私がもっとも期待をかけているのは労働組合です。特に大きな労働組合には、その組織力や資金力を使って、この問題に本気で取り組んでほしいと考えています。

今後、非熟練の外国人労働者が働くようになるのは、労働組合のない小さな会社がほとんどだと思います。つまり、解雇などの問題があっても駆け込む場所がない。だから大きな労働組合は、自分たちの会社の外国人労働者はもちろんですが、それだけではなく二次下請け、三次下請けの会社にまで目を向けて支援をしてほしい。そして、いずれは外国人労働者の組織化にも取り組んでほしいと思います。

たとえば、機械・金属産業の労働者が集まる「ものづくり産業労働組合（JAM）」では、二〇〇二年からミャンマー人労働者の小さな労組をずっと支援してきています。二〇一八年、ある大手衣料品チェーンが取引先に対して「外国人実習生への人権侵害がないように」と申し入れたことが報道されましたが、あれもミャンマー人労働組合からの訴えを受けたJAMの調査で、下請け企業での実習生に対する賃金未払いが発覚したことがきっかけです。

外国人労働者が入ってくることで、日本人の雇用が奪われるのではないか、日本人の賃金が下がるのではないかという懸念の声もあります。もちろん、それは十分に考えられますから、受け入れ人数の規制などはある程度必要でしょう。ただ、そこには、外国人労働者は日本人労働者の敵ではなく、労働者として共に闘う仲間なんだという視点が欠けていると思います。

先ほどの衣料品チェーンのケースがそうだったように、彼ら、彼女らが声を上げてくれることで、さまざまな労働問題が可視化されてくる。それは、日本人も含めた労働者全体の権利の底上げにも間違いなくつながっていくはずです。労働組合には、外国人労働者という「敵」が来るのではなく、力強い仲間が来るんだという視点を、ぜひ持ってほしいと思います。

労働現場だけの話ではなく、今私たちが考えるべきは「外国人労働者を受け入れるべきかどうか」ではなく、すでに日本に大勢いる外国人も含めた日本社会を、どう住みやすく、よくしていくかではないでしょうか。多文化共生のできない、外国人にとって住みにくい社会は、日本人にとっても絶対に住みよい社会ではないと思うのです。

【付記】法務省によると、「登録支援機関」は五一〇五件（二〇二〇年九月二八日現在）の登録がある。〔編集部〕

二〇二〇年三月六日　公開

労働法の適用外しで待遇低下は必至？「高齢者雇用安定法」への懸念

全労連常任幹事　伊藤圭一

安倍内閣は、開会中の第二〇一回国会（二〇二〇年一月二〇日〜）に、「高年齢者等の雇用の安定等に関する法律の一部を改正する法律案」（注1。以下、「高齢者雇用安定法案」と略称）を提出した。改正事項を簡単に言えば、「事業主に対し、新たに六五歳から七〇歳までの雇用もしくは就業の確保を図る努力義務を課すこと」（注2）となる。高齢になっても働く意欲のある人たちのために、良好な雇用機会を提供するのであれば悪い話ではないだろう。

ところが、この法案は、労働者のニーズに寄り添うように見せかけて、実はそういうものではない。安い労働力を必要に応じて使いたい事業主のニーズに応え、かつ、政府が進めたい年金制度の改悪を補完するための制度づくりに思えてならない。

そう考える理由として問題点を三つあげたい。第一に、この法案の「建議」（注3）には「個々の高年齢者のニーズや状況に応じた活躍の場の整備を通じ、年齢にかかわりなく活躍し続けることができる社会の実現を図る」と書かれているのに、同じ文書の中に「対象者の限定を可能とする」とされている点だ。つまり、事業主は高齢の労働者を選別することができ、働きたいという希望が必ずしもかなうわけではない。労働者のための法案という説明と制度の内容に食い違いがある。さらにこの選別排除については法案には明記されず、後から決められる指針で詳細を定めることになっている。争点隠しを疑いたくなる。

第二に、高齢者に「働かない」という選択肢がない点である。労働者からすれば、事業者から選ばれなかったり、納得できない内容や労働条件の仕事が提示されたりする場合には、働かなくても生活できる選択肢もなければ困ってしまう。だが、その道は事実上、ふさがれつつある。今後さらに進められる年金支給額の引き下げと、年金支給開始年齢の七〇歳以降への引き上げ、医療費や介護費用の自己負担の増加等により、高齢者は生きるためには働かざるを得ない状況に追い込まれ、労働者は仕事を選べなくなる。この法案は、そういった状況を前提としている。

第三に、事業主が示す働かせ方の選択肢は、必ずしも（労働契約がある）「雇用」だけでなく、

「就業」、すなわち委託契約のみでもよいとされている点である。詳細は以下で述べるが、労働者を労働法による保護から外してフリーランス化する制度を、なんと労働法の中に創設しようとしている。

つまり今回の高齢者雇用安定法案は、安倍政権が「全世代型社会保障改革」と名付けた政策パッケージの一部として、労働法制の規制緩和を進めるものである。実現すれば、高齢者の雇用・労働条件・生活水準を低下させ、その悪影響は、青年・中年層の雇用・労働条件にも及ぶおそれがある。以下で法案の概要と問題点をもう少し詳しく指摘してみたい。

●雇用確保措置が就業確保措置にすり替わる

まず、現在の高齢者雇用安定法は、事業主に対し、六五歳までの「雇用確保措置」をとることを義務付けている（第九条）。その方法は、①定年の引上げ、②継続雇用（子会社・関連会社など特殊関係事業主での継続雇用を含む）、③定年の定めの廃止の三つで、事業主はいずれかを講じなければならないとされている。

今回の「改正」は、第九条に加えて第一〇条の二を新設し、事業主に対して、七〇歳までの「雇用」もしくは「就業」の確保を図る努力義務を課すものである。「雇用」のメニューは、上記六五歳までと同様の①〜③に加え、④子会社・関連会社等以外の企業への再就職制度でもよい。

これら雇用確保措置自体にも、年金支給開始年齢の引き上げのための露払いであることや、生活できる賃金を確保するといった雇用の質を守る視点がないなどの問題があるが、より重大なのは、法案の同条の「ただし」書き以降である。一定の要件を満たせば、「就業確保措置」でもよいとされているのだ。そのメニューは、⑤委託契約あるいは、⑥事業主が実施もしくは委託、出資等する社会貢献事業での有償ボランティアである。⑤と⑥は雇用と並列させる選択肢ではなく、委託契約だけでもよい。

端的に言って、事業主の多くは、労働法の規制を邪魔なものと考えている。そこに労働契約ではなく、委託契約で働かせてもよいという制度が示されたらどうなるか。いわゆるフリーランスとして働かせるケースが増えるのではないだろうか。

●「就業確保措置」の問題点

(1) 高齢者の安全を軽視している

(委託契約による)「就業」のどこが問題かと言えば、労働法の適用が外れ、最低賃金規制も労働時間規制もかからない働き方となることだ。特に高齢者で懸念されるのは、労働安全衛生の問題である。六〇代後半の労働災害の発生率は、二〇代後半に比べ、男性で二・〇倍、女性で

［図1］労働災害発生率（年齢別・男女別　千人率）

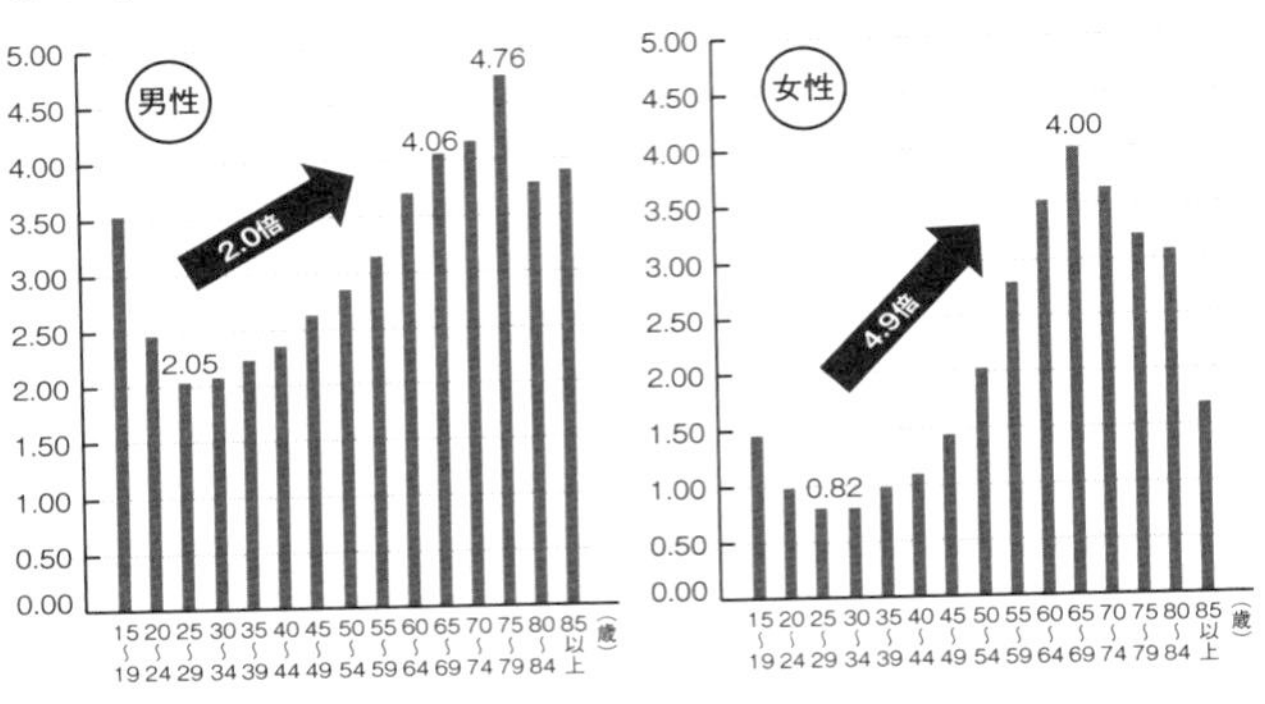

$$\text{発生率（千人率）}=\frac{\text{1年間の休業4日以上の死傷者数}}{\text{1年間の平均労働者数}}\times 1{,}000$$

※便宜上、15〜19歳の死傷者数には14歳以下を含めた。1年間の平均労働者数として、「役員を除いた雇用者数」を用いている。
資料出所：労働者死傷病報告（平成30年）、総務省「労働力調査」（基本集計・年次・2018年）
厚生労働省「人生100年時代に向けた高年齢労働者の安全と健康に関する有識者会議報告書」（2020年1月17日）をもとにイミダス編集部が作成

四・九倍と高くなる（図1）。加齢の影響が目立つのは転倒、転落・墜落、交通事故など、命に関わるものも多い。特に経験のない業務においては、高齢者の労災発生率は格段に高くなる（図2）。命を落とさないケースであっても、治癒にかかる時間は長くなる。また、健康寿命が長くなっているとはいえ、疾病を抱えながら就労する人の割合は、加齢につれて増加する。無理はできないのである。要するに、高齢者雇用安定法案の対象者は、安全衛生面で特段の配慮が必要な人たちであり、労働基準法はもとより、労働安全衛生法、労働者災害補償保険法、労働組合法等による保護を強化すべき人たちな

［図2］労働災害発生率（年齢別・経験期間別　千人率）

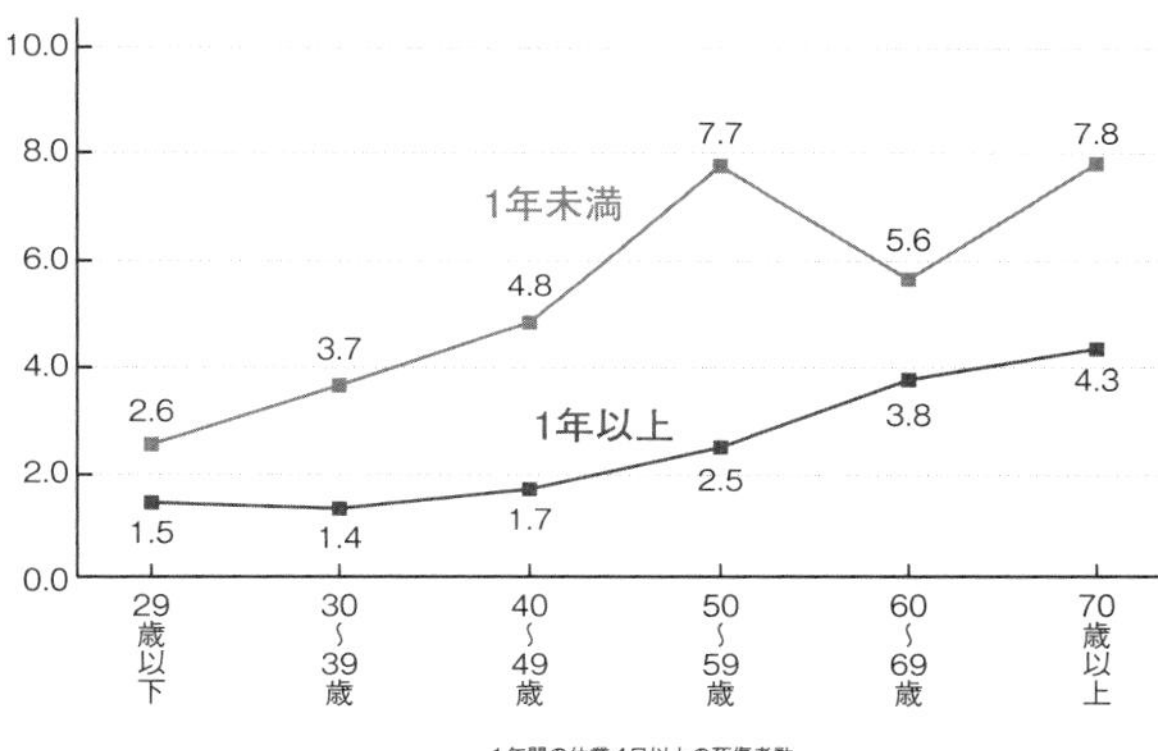

発生率（千人率）＝ 1年間の休業4日以上の死傷者数 / 1年間の平均労働者数 ×1,000

資料出所：労働者死傷病報告（平成30年）、
就業構造基本調査　全国結果（平成29年）－第61表（雇用者〈会社などの役員を除く〉）
厚生労働省「人生100年時代に向けた高年齢労働者の安全と健康に関する有識者会議報告書」（2020年1月17日）をもとにイミダス編集部が作成

のである。

厚生労働省は、所管した「人生100年時代に向けた高年齢労働者の安全と健康に関する有識者会議」で、以上のような知見の報告書（注4）をまとめている。それにもかかわらず、法案にフリーランス化を導入するとは、人の命よりも政権の意向を忖度したのか？と勘繰りたくなる。

（2）退職後の業務委託化の手続き規定にも問題が

いったん退職した元従業員を、業務委託で働かせるための手続き規定にも問題がある。①業務内容を事業主が決め、②実施計画を作成、③その内容について過半数労働組合もしくは労働者の過半数代表者と事業主との合意を得るよう努め、④計画を対象者に周知すればよい、とされているのである（これらは法案には記載がなく、厚生労働省が労働政策審議会に示したイメージだが、そのまま指針とされる可能性がある）。

委託契約になったとはいえ、元従業員だった人であるから、事業主は退職前と同様の指揮命令をする可能性が高い。そうなれば、委託契約は労働契約を偽装した違法なものになる。こうした違法を誘発する危険な行為を、職場の労使合意によって合法化するなど、労働法としてあり得ない。労働者の過半数代表者の同意など、多くの場合歯止めにならず、使用者の意のままの結論が導き出されてしまうし、そもそも労使が合意しようが、労働基準法の適用を免れることはできないというのが、労働基準法の大原則だからである。

（3）やがてフリーランス化促進は他の年齢層にも波及する

なかには、労働者が退職・起業し、古巣の企業と取引をする、いわゆるスピンアウト型・スピンオフ型起業（後者は古巣企業と資本関係がある場合）は既に行われており、日本の中小企業はもともとこういう形から発展してきたのではないか、との反論もあるかもしれない。しかし、意欲・能力・体力・資金調達力を備えた個人が、労働法の規制を離脱して独立・起業の決断をする事例を理由として、「労働法の中に」労働契約を委託契約へと切り替えられる制度を設けることを許してはならない。起業は、労働法とは異なる民法、商法、経済法の範疇に属する行為として、区別するべきである。

それにしても、労働者保護制度からはみ出るような選択肢を労働法の中に組み込もうなどという案を、誰が考えついたのか。それを探ってみると、「未来投資会議」（一九年五月一五日開催、第二七回）にたどり着いた。同会議は、「産業競争力会議及び未来投資に向けた官民対話を発展的に統合した成長戦略の司令塔」と位置付けられた首相の諮問機関である。労働法の破壊を虎視眈々と狙う面々がまとめた提案を、労働政策審議会は、阻止することができなかったのである。

安倍首相直属の諮問機関である全世代型社会保障検討会議が出した「全世代型社会保障検討会議・中間報告」を読むと、フリーランス化の促進は高齢者だけでなく、全世代において「多様な働き方の一つとして」進むものとされている。今回、高齢者雇用安定法において「フリーランス化手続き制度」が成立すれば、おそらく他の年齢層に向けた法制度にも適用されていくのではないだろうか。

●法案の前提は欺瞞だらけ？

この高齢者雇用安定法案を成立させようとする「立法趣旨」にも、欺瞞を感じざるを得ない。

冒頭にあげた「建議」の内容をさらに詳しくみてみたい。

まず、少子高齢化の原因を分析せずに、それが解決できないものであり、経済社会の活力維持のために高齢者の労働力化が必要だと断定している点。次に、高齢者の就業率の上昇について、その原因に触れずに就労ニーズがあると見なし、それに応じた「活躍の場」を提供することが必要としている点。そして、「働く意欲がある」高齢者にのみ焦点を当て、そうした人が活躍する環境整備を打ち出す一方、働くことができない高齢者を視野の外に追い出している点が特に大きな問題ではないかと考える。

少子化は、長きにわたる自民党政権の労働政策の帰結である。長時間労働の蔓延、非正規化の推進、賃金の長期にわたる下落、待遇における女性差別、待機児童問題に象徴される子育て支援策の不十分さといった要因が、出生率を牽引する二〇～三〇代層を直撃し、本人の希望とは別に「晩婚晩産」あるいは、子を持たない選択を強いてきた。しかし、「建議」はこうした側面を無視し、本来行うべき政策（安定雇用と賃金の向上、ジェンダーギャップの是正・根絶、子育て支援策の拡充等）の必要性に触れず、高齢者の労働力化を必然のものとしている。

高齢者の就業率の上昇傾向についてもごまかしがある。年金の支給開始年齢の引き上げや低すぎる支給額、社会保険料負担や医療・介護の自己負担額の重さ、生活保護基準の改悪と窓口での受給抑制等、高齢者に対して冷たい社会保障政策がたたみかけられ、多くの高齢者は「働かなければ生きていけない」状況に追い込まれている。働く意欲があり働きに出る条件が整っている高齢者も確かに存在するが、政策が高齢者を就業へと追い込んできた側面を無視し、高齢者の意欲に応じるかのような描き方をするのは、マッチポンプ型の欺瞞である。

同時に、働くことができない高齢者になんら言及しないことで、そういった高齢者を暗に「意欲がないもの」、社会保障に寄りかかり現役層の負担になるものとの負い目を刻印している。働くことができない高齢者に就労圧力を加えると同時に、社会保障制度改悪について異論の声を上げられないようにしている。

このように因果関係をゆがめることで、高齢者が直面する課題や思いも政権に都合よく描き直され、「雇用安定法」に雇用不安定化を持ち込む規制緩和の仕組みが盛り込まれたのである。

●この重要な法案が一括法案に紛れている！

ところでこの「高齢者雇用安定法案」を、衆議院のホームページの議案リストで探しても、簡単には見つけられない。実はこの法案、雇用保険法、労働者災害補償保険法、労働保険料徴収法、特別会計法、労働施策総合推進法などと合わせて、「雇用保険法等の一部を改正する法律案」に一括されている。しかも、一括された中に予算関連の法律案があることを理由に、三月末までに決着させる「日切れ法案」（注5）とされている。

一括法案に盛り込まれた課題は、多岐にわたる。しかも、労働者の立場からすれば、改善に資するものと改悪とが混在している。そうした法案群をひとまとめにして、十分な審議時間を確保せず、採決に当たって法案ごとの是々非々の態度表明をも封じ込める手法は、安倍政権において多用されているが、非民主的、国会軽視のやり方である。

少なくとも、各法案を分離し、高齢者雇用安定法案については、日切れ扱いから外した上で、徹底審議をするべきではないか。その際、高齢者雇用安定法案からは少なくとも委託契約・有償ボランティアの選択肢は削除する、できれば廃案とするべきと考えるがどうだろうか。

ついでに言えば、一括法案の名称で〝主役をはっている〟雇用保険法案も単独で審議すべき社会情勢になっている。新型コロナウイルス感染症の影響で、雇用情勢は急速に悪化しているからだ。雇用保険への国庫負担を本来あるべき金額の一〇分の一に削減したままとする原案（注6）では、失業時の十分な生活保障には足りなくなる可能性がある。労働保険特別会計の備えとして国庫負担を本則に戻す（注7）ことや、休業の場合の所得補償の施策を集中審議すべきだろう。いや、しなければならない。

●一連の政策の狙いは？

高齢者雇用安定法案は単体でみると、怖さが分かりにくい。年金の給付水準の引き下げ（マクロ経済スライド）、支給開始年齢の引き上げなど、「全世代型社会保障改革」と銘打って進められている一連の政策全体について、私たちは、その狙いを見抜く必要がある。

一つは他の先進国に比べて低すぎる日本の賃金・労働条件を改善せずに、人手不足の解消を目指す労働市場政策である。高齢者を労働者もしくはフリーランスの労働力にし、コストをかけずに人手不足の解消を図ると同時に、現役世代、青年・女性、外国人労働者との競争を高め、賃金相場を抑制することがもくろまれている。その際、転職や自己啓発、職業仲介のプラットフォーム・ビジネスを活発化させ、安倍政権と蜜月の関係にある人材ビジネスの儲け口を拡大することも狙われている。

もう一つの狙いは、公的年金の投機的利用の促進である。安倍政権はアベノミクスの「見せかけの成功」演出のため、一四年から年金積立金運用における株式比率を従来の倍の五〇％に高め、株価をつり上げている。時には運用で損失も出しており、会計検査院は、年金積立金管理運用独立行政法人のリスクの高い運用に警鐘を鳴らしている。しかし、安倍政権は、一五〇兆円に膨らんだ年金資金をさらに増やすため、年金保険料を負担する対象者を広げつつ、高齢者就業促進で給付を減らし、投機の資金を増やそうとしているのである。

現役世代の負担軽減などと趣旨説明をして、高齢者との分断を図っているが、実際には労働者全体に不利益を押しつけ、大企業や富裕層、投資家を優遇するための制度改悪とみるべきである。

健康で意欲ある高齢者が働き、起業することは歓迎すべきであり、就業環境の整備は必要である。しかし、健康問題や老々介護を抱え、働けない人からまともな水準の年金受給権を遠ざけ、就業か貧困かの選択を迫るのは人権侵害である。同時にこの政策はワーキングプアを増やし、デフレ不況を長引かせる。

今回の法案の問題点は、まだ、あまり知られていないようだが、拙稿を読まれた方々には、周知と問題点の喚起をお願いしたい。国会と政府に向けては、法案の欠陥を指摘し、修正を求めながら、本来あるべき政策を突き付けていく必要がある。高齢になれば、家計や資産、家族関係の違いに加え健康格差も広がる。本当の意味で、働く者個人の事情に応じて、年金と雇用・就業を選択可能なものとするためには、公的年金を信頼に足る制度にすると同時に、年齢・性別の格差なく良好な労働条件で働く権利を保障しなければならない。

【付記】「高年齢者等の雇用の安定等に関する法律」（高年齢者雇用安定法）の一部改正は、二〇二〇年三月三一日に成立。二〇二一年四月一日から施行される。〔編集部〕

注1　「高年齢者等の雇用の安定等に関する法律の一部を改正する法律案」／この法案は、「雇用保険法等の一部を改正する法律案」の中にある。

注2　立法根拠となる首相直属の諮問機関「全世代型社会保障検討会議」の中間報告（二〇一九年一二月一九日発表）によれば、制度の定着状況をみて、いずれ義務化するとしている。

注3　建議／厚生労働大臣の諮問を受け、労働政策審議会（職業安定分科会雇用対策基本問題部会）によって二〇一九年一二月二五日にまとめられた法案に関する結論のこと。「高年齢者の雇用・就業機会の確保及び中途採用に関する情報公表について」と題されている。

注4　厚労省所管の「人生100年時代に向けた高年齢労働者の安全と健康に関する有識者会議」の報告書／報告書では、労災が多くなる傾向を指摘し、事業主に高齢者の特性をふまえた安全衛生についての対策を求めている。ハード面（設備、装置など環境配慮）だけでなく、ソフト面（勤務時間、勤務形態、作業スピード）などの配慮も必要としている。

注5　日切れ法案／一定の期日までに成立が不可欠とされている法案。特定の期日に開始すべき施策に関する法律案、予算と関係する法律案などをいう。

注6　雇用保険における国庫負担金は二〇〇七年の法改正で本来の負担額の五五％に、一七年に一〇％へと下がっている。これを二〇年、二一年も継続するという内容である。

注7　雇用保険の四分の一を国庫が負担するというのが本則。

二〇一九年一〇月一八日　公開

刑法性犯罪規定改正に向けて

あなたが受けたのは「性被害」だとわかる社会にするために

一般社団法人Spring代表理事　山本　潤

構成・文　松尾亜紀子

二〇一七年、実に一一〇年ぶりに刑法の性犯罪規定が改正された。「強姦罪(ごうかんざい)」は被害にあたる行為や被害者の範囲を広げた「強制性交等罪」となり、法定刑は懲役三年以上から五年以上に引き上げられた。だが、課題はまだまだ山積みだとされる。

改正と同じ二〇一七年に設立されたのが、性暴力被害当事者や支援者がスタッフとなり、刑法の性犯罪規定改正のアドボカシー（権利擁護・政策提言）団体として活動する「一般社団法人Spring」だ。代表理事をつとめる山本潤さんに、現行刑法の問題点とは何か、改正するためにどのようなビジョンがあるのかをうかがった。

●性犯罪が繰り返されないために法を変えていく

――Springは、性被害当事者が中心となって、刑法性犯罪規定改正を目指す一般社団法人とのことですが、具体的にはどのような活動をされているのでしょうか？

山本　私たちは、刑法性犯罪規定改正についてのみ活動する団体です。活動の中心となるのは、ロビイングです。議員や関係省庁の職員に面談して、性暴力被害が犯罪として認められず被害を訴えづらい現状を伝え、より性暴力の実態に即した法になるよう、刑法性犯罪規定の改正を求めています。課題解決に向けて、要望書を出したり議員連盟や政党・省庁・自治体開催のヒアリングの場などで発言もしています。

　市民や議員にアピールするために、国会議員会館内でイベントを行うこともありますし、その内容を伝えてもらえるようマスメディアに働きかけています。今は、全国キャンペーンで日本各地を回り、性暴力が正しく裁かれていないという現状を伝え、私たちの活動にコミットしてくれる方を募っています。

――山本さんが活動を始めるきっかけはなんだったのでしょうか？

山本　もともとは、私自身が父親による性暴力被害者だということもあり、二〇〇七年頃から

2017年改正・現行の性犯罪に関する刑法条文

●刑法176条（強制わいせつ）

13歳以上の者に対し、暴行又は脅迫を用いてわいせつな行為をした者は、6月以上10年以下の懲役に処する。13歳未満の者に対し、わいせつな行為をした者も、同様とする。

●刑法177条（強制性交等）

13歳以上の者に対し、暴行又は脅迫を用いて性交、肛門性交又は口腔性交（以下「性交等」という。）をした者は、強制性交等の罪とし、5年以上の有期懲役に処する。13歳未満の者に対し、性交等をした者も、同様とする。

●刑法178条（準強制わいせつ及び準強制性交等）

1.人の心神喪失若しくは抗拒不能に乗じ、又は心神を喪失させ、若しくは抗拒不能にさせて、わいせつな行為をした者は、第176条の例による。
2.人の心神喪失若しくは抗拒不能に乗じ、又は心神を喪失させ、若しくは抗拒不能にさせて、性交等をした者は、前条の例による。

●刑法179条（監護者わいせつ及び監護者性交等）

1.18歳未満の者に対し、その者を現に監護する者であることによる影響力があることに乗じてわいせつな行為をした者は、第176条の例による。
2.18歳未満の者に対し、その者を現に監護する者であることによる影響力があることに乗じて性交等をした者は、第177条の例による。

性暴力の被害者支援に関わってきました。その過程で、日本が、加害者に対してなんの対処も処罰もできていない現実を突きつけられたんです。一人の性犯罪加害者は生涯三八〇人もの被害者を出す、という試算（注1）があります。加害者が治療教育もされず、彼らの性行動に対する「認知と行動」が変わらなければ、性犯罪は繰り返されていくのです。

それをどう止めればいいのか。性暴力が正しく裁かれていないこの状況を次世代に引き継がせず、安全に健康に暮らせる社会をつくるにはどうすればいいのか。こう考えると、やはり刑法、性犯罪についての法律がきちんと施行されて運用されるしかないと思います。それまでのように被害者支援や、被害当事者として語っていくばかりではなく、刑法の改正を訴えなければいけないと、私自身の意識の変化がありました。

――二〇一七年に刑法が改正されたタイミングでSpringを設立されていますね。

山本　二〇一四年に松島みどり法務大臣が「強盗が懲役五年で、強姦罪の法定刑が懲役三年はおかしい」と、見直しを求める発言をして、同年に法務省で「性犯罪の罰則に関する検討会」が発足しました。翌一五年に、この検討会の報告を、院内集会で聞く機会がありました。このときに「親子間でも真摯な同意に基づく性行為がないとはいえない」という議論がなされたことに、ものすごくショックを受けたんです。つまり、親子でも「同意のある性交」がありうる、というわけです。性暴力被害の実態とは、まったくかけ離れた議論がなされていたんですね。委員は刑法の専門家であっても、性暴力の専門家ではなかった。専門家が実態を知らないのであれば、伝えなくてはいけないと、Springの前身団体である「性暴力と刑法を考える当事者の会」を立ち上げました。その後、法改正への要望書を出したり、他団体と組んで「刑法性犯罪改正」キャンペーンを始めました。

なにせ法律に関しては素人ですから、刑法学者や弁護士に頼んで勉強会を開催し、法律を学

2017年の刑法性犯罪規定改正について：変更点

	改正前	2017年6月改正後
名称	強姦罪	強制性交等罪
犯罪の定義	男性器が女性器に挿入された場合のみ。 被害者は女性、加害者は男性のみ。	肛門性交・口腔性交も含める。 女性以外も被害者に、男性以外も加害者に。
法定刑	3年以上の有期懲役。 強姦致死傷・準強姦致死傷は無期又は5年以上の有期懲役。 まず強盗、次に強姦をした場合は、「強盗強姦罪」となり無期又は7年以上の懲役。しかしまず強姦、次に強盗をした場合は、「強姦罪」と「強盗罪」の併合罪となり、無期懲役にならない。	5年以上の有期懲役。 強制性交等致死傷・準強制性交等致死傷は無期又は6年以上の有期懲役。 まず強制性交等、次に強盗をした場合は、無期又は7年以上の懲役。
親告罪	強姦と強制わいせつは親告罪（被害者が告訴しなければ、検察は事件を起訴できない）。	強制性交等と強制わいせつの非親告罪化（事件の認定をもって、検察は事件を起訴できる）。
新設		「監護者性交等罪」「監護者わいせつ罪」が新設。18歳未満の子どもを監護する親や児童養護施設職員など、その影響力に乗じて性交・わいせつ行為をした者を処罰できる。
廃止	2人以上の加害者による強姦は「集団強姦罪」として、4年以上の有期懲役。「集団強姦致死傷罪」であれば、無期又は6年以上の有期懲役。	法定刑の引き上げに伴い、「集団強姦罪」並びに「集団強姦致死傷罪」は廃止。

「見直そう！刑法性犯罪」（Spring発行）をもとにイミダス編集部が作成

びながら、要望書を書きました。ロビイングでは、とにかく議員に会いに行って、私が自分の性暴力被害を書いた書籍『13歳、「私」をなくした私―性暴力と生きることのリアル』（朝日新聞出版）を渡して……。そうしていくうちに、共感してくれた法務委員会の議員たちが協力してくれるようになってきて。

結果的には二〇一七年の改正で、私たちが要望書に書いたものの中で、「親告罪」（被害者の告訴がない限り、検察が起訴できない犯罪。家族や顔見知りからの被害が多い性犯罪の場合、告訴は被害者にとって特に大きな負担となる）の撤廃や、性器だけでなく、肛門・口腔へのレイプも犯罪に含めるようにとか、前進はありました。しかし、「性交同意年齢」（性交に同意できる能力があるとみなされる年齢の下限）が一三歳のままであったり、もともと私たちがいちばんの問題としていた「暴行脅迫要件」（加害者による暴力や脅迫によって、被害者が抵抗できなかったことを立証できなければ罪に問えない）の撤廃などはなされませんでした。ただ、「三年後の見直し」という「附則」をつけてほしいという、私たちの要望はなぜか通ったんです。つまり、刑法では非常に珍しいことなのですが、三年後の二〇二〇年にもう一度、刑法改正の内容を見直すかどうか、検討がなされるということです。

とはいえ、私たちが何もしなかったらこのままになってしまう可能性が非常に高い。これは二〇二〇年まで運動しなくてはいけないということで、Springを立ち上げました。

●性暴力の本質は「同意」の問題にある

——なるほど、山本さんたちがどういう活動をされているのかよくわかりました。現状の刑法の問題点を整理させてください。二〇一七年の法改正で積み残された問題はたくさんあると思うのですが、今後、Springが最も力を入れる問題は何でしょうか。

2017年の刑法性犯罪規定改正について：積み残された課題

	改正前	2017年6月改正後
性交同意年齢	被害者が13歳以上の場合、未成年であっても成人と同じように、暴行脅迫により抵抗できなかったことが認められなければ、強姦や強制わいせつにはならない。	変更なし ・13歳以上の未成年者が成人から被害に遭っても、暴行脅迫があったと認められないと有罪にならない。 ・義務教育の課程で性交の結果何が起きるかが教えられていないため、性交に対し適切な判断が困難となる。
公訴時効 （刑事上の時効のこと。犯罪が終わってから一定期間が過ぎると、公訴の提起＝起訴ができなくなる）	強姦罪10年、強制わいせつ罪7年を過ぎたら加害者を罪に問えない。	変更なし ・被害者は被害を認識するのに時間のかかる場合も。 ・PTSDなどにより、加害者をすぐに訴えることができず、時効となってしまうことも。
暴行脅迫要件	「暴行又は脅迫を用いて」と177条にあるため、暴行脅迫が裁判で立証できなければ不同意でも罪に問えない。	変更なし ・激しく抵抗できなければ、暴行脅迫要件が適用されない。つまり、被害者が不同意の性交であっても罪に問えない。
地位関係性	被害者と加害者の年齢差や従わなくてはならない人間関係（教師と生徒、指導者と教え子、上司と部下など）にかかわらず、暴行脅迫によって抵抗できなかったことが認められないと強姦や強制わいせつにならない。	変更なし ・対等な関係性ではない二者間で、力関係を利用し性暴力が行われると被害が潜在化する。 ・所属するコミュニティに居場所がなくなるかも……という不安から被害を訴えづらくなる。

「見直そう！刑法性犯罪」（Spring発行）をもとにイミダス編集部が作成

山本　まず一つ目に、私たちが提案するのは、不同意性交等罪の新設です。現行法の刑法一七七条は、「十三歳以上の者に対し、暴行又は脅迫を用いて性交、肛門性交又は口腔性交（以下「性交等」という。）をした者は、強制性交等の罪とし、五年以上の有期懲役に処する。十三歳未満の者に対し、性交等をした者も、同様とする。」というものです。

ここの「暴行又は脅迫を用いて」という箇所を、「同意なく、もしくは明示的な意思に反して」と変えることを提案しています。その人の同意なく性交してはいけないんだっていうことを、社会のルールにすることが大事だと思います。

「同意」の問題が、やはりいちばん重要です。性暴力被害者たちは、自分の意思が無視されることによって無力化させられる。これが性暴力の本質です。同意がない性交は、人をとても傷つけ、心身を大きく損ない、さらに、被害者は生涯にわたって影響を受ける。そのことをすべての人が認識してほしいです。

暴行脅迫要件、つまり「暴行又は脅迫を用いて」——この部分をなくし、「同意なく、もしくは明示的な意思に反して」と変えた場合、冤罪を生みやすくなるとの指摘もあります。ただ、「同意なく、もしくは明示的な意思に反して」ということを性犯罪の成立要件としている外国では、犯行時および犯行後の被害者・加害者双方の言動だけではなく、犯行に至る過程や、加害者が優位な立場を利用したか等々から、同意か不同意かを見極めています。

二つ目が、時効の撤廃です。現行法は、強制性交等罪は一〇年、強制わいせつ罪は七年を過ぎたら加害者に罪を問えないことになっています。しかし、私自身もそうだったのですが、性暴力に対する反応である「解離」(特定の場面や経験から心を防御するために、記憶が消えた状態などになること)のために、被害者は被害を認識するのにとても時間がかかります。記憶が蘇(よみがえ)ってからもPTSD症状によって、加害者をすぐには訴えることができず、時効となってしまいます。

諸外国では未成年時の被害の場合は時効停止とされたり、イギリスでは年齢を問わず性犯罪に時効はありません。殺人罪と同じように、時間が経ったからといって許される罪ではないことを社会の共通認識にする必要があるのではないでしょうか。被害者に、何年経っても訴えていいのだという選択肢があることが重要です。

●被害を被害と、犯罪を犯罪と規定できる社会に

――二〇一九年三月には、性暴力をめぐる無罪判決が立て続けに四件（注2）出て、しかも、そのうち名古屋地裁岡崎支部の判決は、実の父親が中学生の頃から長女に性的虐待を続けてきた事実は認めながらも、「被害者が服従・盲従せざるを得ないような強い支配関係にあったとはいえない」として無罪になりました。また、これらの判決をきっかけに全国で、性暴力に抗議する「フラワーデモ」という運動が広がっています。山本さんはこの動きをどうご覧になっていますか。

山本　これまでたくさんの同じようなケースを見てきたので、三月はまたこういう判決が出されてしまったのか、という思いでした。その後、フラワーデモの運動を知ったときは、被害者がこんなに声を上げられるようになったのかと、すごいことだと思いました。私の肌感覚でし

かないのですが五年前は、被害を受けた人が被害を受けたと言えない社会だったと思います。知人からの被害なんて、到底言い出せない空気があった。

日本の性暴力被害者への視線というのは、家父長制に支配されてきたんですよね。どうしても、性被害に遭ったかわいそうな人たちを支援する、みたいな感じになってしまう。だから、被害者にも権利があり、その損なわれた人権を回復するという視点になかなか至らなかったのが、ここ数年で大きく変わりましたよね。

メディアの女性記者たちがニュースとして取り上げてくれるようになったことがとても大きいと思いますし、やはり、#MeToo運動の影響もあったと思います。#MeTooが画期的だったのは、影響力もパワーもあるハリウッドの映画プロデューサー、ハーヴェイ・ワインスタインが実際に起訴されて、失脚したということです。

——実際にワインスタインが起訴されたことが大事だというわけですね。山本さんがさらなる刑法改正を目指すのも、その点と関係しますか？

山本　はい、被害が被害として認められるために、起訴率を上げることは大事だと思います。Springで二〇一八年イギリスに視察に行ったのですが、そのきっかけは、日本の法制審議会の中で、「イギリスは不同意性交を性犯罪にした結果、有罪率が下がった」という報告がされたことです。それで、その事実を確かめに行きました。現地で法務省や内務省の担当者に実際に話を聞いてわかったのは、彼らは性犯罪の通報率を上げ、さらに起訴率を上げることを目的としている。なぜならば、やはりイギリスでも性暴力、性犯罪は被害者が声を上げづらく、把握されない被害件数がとても多いからです。

　そして、被害者は大きなダメージを受けているので、支援を受けないと訴えられないと明確に認識していました。様々な被害者支援もした結果、イギリスではこの八年間で性犯罪の通報率が上がり続けており、先ほど言った通り時効もないので、三〇年以上も前の被害も通報される。そうすると、起訴された件数の中で、結果的に有罪となる率は三〇～四〇％くらいなんだそうです。でも、大事なのは有罪率よりも、起訴すること自体なんだと。そうやって司法の中で、罪を罪として、性暴力被害を被害として扱っていくこと、そして被害者が支援されること、その中で被害者が回復していくことが非常に大切だという、そういう方針でしたね。

――なるほど。起訴数という分母が広がったから、その分有罪率は下がると。でも、肝心なのは、性犯罪が犯罪だと規定されることなんですね？

山本　そうです。私は日本の二〇一七年の法改正で、「監護者性交等罪」「監護者わいせつ罪」（一八歳未満の子どもを監護する親や児童養護施設職員など、その影響力に乗じて性交・わいせつ行為を

山本さんたち、Springの提案

刑法性犯罪における
公訴時効の撤廃

性交同意年齢を
「16歳」にすること

地位関係性を
利用した
性犯罪規定を
創設すること

不同意性交を
性犯罪とすること

した者が処罰される）ができてよかったと思っています。もし、三〇年前にこの法律があったら、私は自分が父から受けた被害を、これは性犯罪なんだと結びつけることができたかもしれません。

特に家庭内の性虐待は、生活の延長線上で起きるわけです。しかも虐待が長期間に及ぶことが多い。しかし、それを「家庭内の性虐待」という福祉のくくりでなくて、犯罪として類型化することが必要です。私がこの活動を始めるときに気づいた通り、犯罪にならないと加害者を処罰できず、加害者を処罰できないと加害者は性犯罪を繰り返します。この流れを止めるには、やはり刑法改正を進めるしかないと思っています。

私の活動の原点には、自分が一三歳のときの体験があります。自分を愛し、守ってくれるはずの人が性加害をしてきたらどうすればいいのか。養ってくれる人に抵抗することはとても難しい。そのときに性暴力は許されない犯罪であると認識され、誰かが助けてくれる。そういう社会であってほしいのです。今も、被害を受けた人のうち、警察に相談できた人は三・七％（内閣府男女共同参画局「男女間における暴力に関する調査報告書」二〇一八年三月）です。被害者が訴えなければ加害者は捕まらず、さらなる加害を繰り返すでしょう。ですから、次の刑法改正までは活動を続けたいと思っています。

【付記】 法務省は、二〇一七年刑法一部改正法附則九条に基づき、性犯罪をめぐる刑法の見直しについて議論する「性犯罪に関する刑事法検討会」を二〇二〇年三月三一日に設置した。山本さんもこの検討会の委員となっている。［編集部］

法律を変えるためには社会の意識が変わることも重要です。二〇一九年四月には、街頭で花を手に、性暴力に抗議する「フラワーデモ」が東京から全国に広がり、のべ一万人を超える人たちが参加しました。性暴力・性犯罪に対する関心が高まり、前述の「性犯罪に関する刑事法検討会」では、暴行脅迫要件の撤廃や、不同意性交等罪創設の可否、地位関係性の利用、性交同意年齢の在り方、公訴時効の在り方などが論点に盛り込まれました。社会の意識が変わり、性暴力が犯罪として認識されることが、被害者たちの願いです。性暴力のない社会とするために、どのような法律が必要なのか、皆様も関心を持ち、共に考えてくださいますようお願いします。［著者］

注1　藤岡淳子『性暴力の理解と治療教育』（誠信書房、二〇〇六年）より。

注2　①二〇一九年三月一二日　福岡地裁久留米支部：改正前刑法での準強姦罪、②同年三月一九日　静岡地裁浜松支部：強制性交等致傷罪、③同年三月二六日　名古屋地裁岡崎支部：準強制性交等罪、④同年三月二八日　静岡地裁：改正前刑法での強姦罪。いずれも無罪判決となった。なお、二〇二〇年になって、①の無罪判決は、二月五日に福岡高裁で一審判決が破棄され、懲役四年の実刑となり、③の無罪判決（実父による娘への性的虐待）は、三月一二日に名古屋高裁で一審判決が破棄され、懲役一〇年の実刑判決が言い渡された。①③ともに被告側が上告した。

二〇一九年一二月一九日　公開

パワハラ防止措置の義務化で、厚生労働省の指針が決定

職場のパワハラはこれでなくなるのか？

弁護士　笹山尚人

上司から取引先から雇用主から、職場でのパワハラに悩んでいる人も多いことだろう。二〇一九年にパワハラを防止・対応するための措置を会社側が取らなくてはならないと、義務化されたことをご存じだろうか？　法律はとりあえず決まったが、その具体的な内容は厚生労働省によって指針として定めるとなっている。その指針案が一九年一〇月に公表された。

二〇一九年五月二九日に成立した改正労働施策総合推進法（以下、この法律を「改正法」という）では、第三〇条の二において、いわゆるパワーハラスメントに対する措置等を事業主が実

施しなければならないと定めています。事業主はパワハラに関して、労働者が平穏に働ける環境作りのための措置を講じなければならないことになりました。その措置の具体的な内容や行政指導のあり方については、厚生労働大臣が「指針で定める」と決められたのです。

これを受けて、厚労省の労働政策審議会では、一九年一〇月二一日に厚労省が作成した指針案が提示され、同年一二月二〇日まで広く意見を求めるパブリックコメントが行われている状況です。

私は、この指針案が素案として提示された時から、重大な問題を含んだ案であることを所属法律事務所のブログで発表してきました。指針案も、素案を踏襲したものであり、その本質的問題に変化はないと考えます。

●あるハラスメント事案から見えることとは？

以前、私が担当した事案で、次のようなケースがありました。

勤務する支店の責任者（支店長）から毎日言葉の暴力を受けている男性がいました。彼は、営業係長として自らの顧客を回って営業活動をするとともに、四名の部下の営業活動にも上司として監督、指導を行う立場でした。毎朝行われる営業会議の席上で、支店長は、前日の実績や当日の営業係員の行動予定にケチをつけ、叱咤（しった）激励をするのが常でした。当然、叱責を受けるのは男性のことではない場合もあるのですが、彼は最終的には必ず叱責されました。なぜなら、叱られる営業係員を指導する立場にあるからです。彼は自らの行動について責められるだけでなく、どうしてきちんと指導しないんだという形で、部下が叱られるたびに自身も叱られたのです。

具体的な言葉は、それほど悪質なものではないと言えるのかもしれません。「どうしてこうなっているんだ」「それじゃ結果が出ないだろ」「営業がわかっていないようだな」「やる気を出せ」、そして「きちんと指導しろよ」。こういった表現は営業成績を上げたいがための指導、叱責と言ってしまえばそれまでかもしれません。叱られる時間も、それほど長いものではなく、せいぜいが一〇分か一五分でした。

しかしこんな状態が半年、七カ月、八カ月と続いていくうちに、その男性は、だんだん営業をしながらビルの屋上を見るようになったと言います。「あそこから飛び降りれば、楽になれるのかな」という思いが浮かび、眠れなくなり、食欲が落ち、意欲が減退しました。仕事でもミスをするようになり、それがまた支店長の新たな叱責を呼びました。

九カ月が過ぎた頃、彼はついに顧客から大きなクレームの入るミスをしてしまいます。支店長から大目玉を食らい、「いったいどうするつもりだ!」と詰め寄られて、彼は思わず「責任を取って辞めます」と言ってしまったのです。

私は、以前先輩として彼を指導したという人物から紹介をされて、このケースの対応を引き受けました。彼が退職すると言ったのはいわば一時の気の迷いであり、こんなことで二〇年近く勤めて築いたキャリアを棒に振ることはない。退職の意思を撤回し、あわせて支店長の言動をパワハラとして訴えたい、という依頼でした。

会社は、支店長の言動は適正な指示・指導であり、彼の退職を受理したとして全面的に争う姿勢を見せました。実際、裁判となり、結果として彼は職を失いました。

支店長の言葉は、単体として取り上げれば、手ひどいものと言えないかもしれません。上司としての指導の範疇（はんちゅう）として正当なものであるのかもしれません。しかし、支店長の言葉は彼の職を奪い、心を大きく傷つけました。彼の尊厳を損ない生活を狂わせた支店長の言動は、本当に許せないものでした。そのことを認めず責任を取ろうとしなかった会社もひどいものでした。

しかし、当時は前述の改正法は存在しませんでした。彼の職場にはハラスメントの相談窓口もありませんでした。たまたま退職した先輩が彼のことを気にかけなければ、男性は自死していたかもしれません。

これは、私の記憶に今でも強く残る事案です。この事案から、私は、日常の一見些細（ささい）な出来事でもハラスメントになり得ること、そして、いったん発生したハラスメントはとてつもない被害を引き起こすことを学びました。

ハラスメント事案の中で、この事案はそう特異なものではありません。我が国の職場では山ほど存在しています。だからこそ、今般の改正法等によって定められた措置義務がどれだけ実効性を持つことができるかは、非常に重要な課題となっているのです。

●「職場におけるパワーハラスメント」の定義とは？

一九年一〇月に示された指針案では、「職場において行われる優越的な関係を背景とした言動であって、業務上必要かつ相当な範囲を超えたものにより、その雇用する労働者の就業環境が害されること」を「職場におけるパワーハラスメント」の定義である、としています。そのうえで、「客観的にみて、業務上必要かつ相当な範囲で行われる適正な業務指示や指導については、職場におけるパワーハラスメントには該当しない」とまで定めています。

私は、そもそもこの定義自体に疑問を覚えています。

例えば、先の支店長の発言は、どうなるでしょうか。これは、営業会議における叱咤激励です。〈業務上必要かつ相当な範囲で行われる適正な業務指示や指導〉なのではないでしょうか。現に裁判で会社はそのように主張しました。期間として長期間にわたっていることなので、一定の期間が経過したら「相当な範囲」を超えているとか「適正」ではないとか、そういう区分けができるかもしれません。しかしそれは誰がどうやって決めるのでしょうか。叱咤激励が三カ月続いたら「相当な範囲」を超えるのでしょうか。六カ月でしょうか。一年でしょうか。

このように、グレーな事案は多数あるのです。ですから、職場におけるハラスメントのすべてが、指針案に書かれている定義に当てはまるとは限りません。

改正法はあくまで、職場におけるハラスメントの一つの典型的な場合について措置等を定めたと理解すべきであり、措置義務対象以外のことであっても、「職場におけるハラスメント」として捉えられるべきです。典型例以外でも、職場や訴訟の場で人格権侵害として違法視される可能性があると考えることが必要です。指針がパワハラの定義をこのように狭く捉えるならば、人権侵害を見過ごし、救済から取りこぼす事案が発生することにつながります。

あえてパワーハラスメントの定義を行うのであれば、「労働者に対して精神的あるいは肉体的な影響を与える言動（嫌がらせ・脅迫・無視）や措置・業務（長時間労働・過剰労働）によって、人格や尊厳を侵害し、労働条件を劣悪化しあるいは労働環境を毀損する目的あるいは効果を有する行為や事実」をハラスメントと捉え、これが使用者の指揮命令の及ぶ範囲としての「職場」において発生する場合に、全体として「職場のハラスメント」と解するべきであり、定義とすべきだ、と考えます（これは、滋賀大学の大和田敢太名誉教授による定義を基礎にしたものです）。私は、実際に発生しているハラスメントの状況からして、このように捉えるのが一番正確だと考えています。

●パワハラの代表的な六類型に該当しない場合を例示？

指針案では、さらに、いわゆるパワーハラスメントの代表的な六類型に該当する場合のみならず、該当しない場合の例示も行っています。こういった指針案の考え方は、パワーハラスメントの成立する状況を実際上は限定的にしかねないものと思います。

◆パワハラの代表的な六類型

1 身体的な攻撃（暴行・傷害）
2 精神的な攻撃（脅迫・名誉棄損・侮辱・ひどい暴言）
3 人間関係からの切り離し（隔離・仲間外し・無視）
4 過大な要求（業務上明らかに不要なことや遂行不可能なことの強制・仕事の妨害）
5 過小な要求（業務上の合理性なく能力や経験とかけ離れた程度の低い仕事を命じることや仕事を与えないこと）
6 個の侵害（私的なことに過度に立ち入ること）

例えば、指針案ではパワハラの定義としている「その雇用する労働者の就業環境が害されること」に該当するためには、「能力の発揮に重大な悪影響が生じる等当該労働者が就業する上で看過できない程度の支障が生じること」が必要との考え方を示しています。

ここにも問題があると思います。まず、「当該労働者」に限定する必要があるでしょうか。確かに、改正法の文章には「その雇用する労働者の就業環境が害されることのないよう」とあり、「その」という部分を「当該事業者の」と読むことも可能です。ハラスメントを受けている当の労働者以外の、周辺や同じ職場にいる労働者の就業環境をも考えにいれるべきだと思います。

なぜなら、職場におけるハラスメントは、当の被害者のみならず、周りにいる他の労働者の就業環境をも悪化させていることはしばしば見られるところであり、この事実は皆さんにもよくご理解いただけるのではないでしょうか。

そして、就業環境の悪化について、「能力の発揮に重大な悪影響が生じる」とか「看過できない程度の支障」とかいった条件を設定することは、やはり取りこぼす事案の増大や、深刻な人格権侵害を見過ごすことにつながると考えます。

改正法にある「その」を「当該事業者の」と理解して、周辺や同じ職場にいる労働者の就業環境をも対象としていると解釈すべきではないでしょうか。

さらに指針案では、ハラスメントに該当しない場合についての例も示されていますが、該当しない例を掲げるなど余計なことだと言わざるを得ません。こうした例示を行えば、「こうすればハラスメントにならないんだな」という誤解を事業主や行為者に与えることになりかねず、それは法律がハラスメントの隠蔽に加担することに他なりません。

定義された文章を読んで自分のケースがハラスメントに該当すると被害者が考える場合は、基本的にはハラスメントとして認められるべきです。例外的に該当しないことも有り得るとされる場合は、人間関係や（措置義務対象となっていること以外の）周辺事実を慎重に確定してハラスメントかどうかの判断をするべきなのです。

●立法者の意思を軽視することは許されない

今回の改正法は、成立する際、国会の付帯決議がなされています。指針案は、その付帯決議で表明された内容が、十分反映されていない点も重大な問題だと感じています。

指針案では、「個人事業主、インターンシップを行っている者等の労働者以外の者に対する言動についても必要な注意を払うよう（中略）努めることが望ましい」（傍線は筆者による）としています。

一九年五月二八日の参議院厚生労働委員会の付帯決議では、「九、2」で、「自社の労働者が取引先、顧客等の第三者から受けたハラスメント及び自社の労働者が取引先、就職活動中の学生等に対して行ったハラスメントも雇用管理上の配慮が求められること」についても指針に明記することを求めています。一九年四月二四日の衆議院厚生労働委員会の付帯決議でも、「七、1」にこの点に関する指摘があります。

ここで立法者が求めているのは、「自社の労働者が、取引先、就職活動中の学生等に対して行ったハラスメントも」ということで「も」が入っていることから、自社内でのハラスメント同様の雇用管理上の配慮について定めなさい、というものです。

しかし、指針案の内容は、自社内でのハラスメントと個人事業主やインターンシップの学生等とを区分けして、後者については「努めることが望ましい」との努力義務以下の内容を記載するにとどまっています。これでは実質的に、何もしなくても良いと言っているのと違いがありません。明らかに立法者の意思（国会での付帯決議）に反しています。

このような立法者の意思の軽視は、行政の定める指針にあってはならないことだと考えます。

＊＊＊

［以下、一九年一二月二三日　加筆］このように、厚労省が出している指針案は、問題だらけ

と言えるでしょう。パブリックコメントでも多くの批判が寄せられました。しかし、労働政策審議会は、この指針案をパブリックコメントの締め切り（一九年一二月二〇日）後、あっという間に了承してしまいました。まことに残念です。ですが、この指針の問題点を引き続き告発し続けることは、今後の改定の足がかりになります。現場からの告発が求められていると思います。

【付記】 この付記を執筆している二〇二〇年九月時点で、改正法が施行されて三カ月が経過しています。改正法の施行はまず大企業からで、中小企業は二〇二二年四月からの予定です。私は、改正法の最大の意義は、ハラスメント防止が法定され、社会の意識がハラスメント禁止へ前進することだと考えていました。早くも、その効果が現れ始めていると実感しています。ハラスメント事案で、改正法に言及した通知をすると、企業が敏感にそれに対応する状況になってきました。私たちが改正法を契機に、指針にとらわれず「ハラスメントを許すな」の取り組みを進めれば、それが改正法や指針をさらに改定させ、ハラスメントをなくすことにつながると確信しています。［著者］

二〇二〇年五月一八日　公開

種子法廃止に続いて「種苗法改定」で、農家に打撃!?

日本の農家は苗をどこから手に入れることになるのか

日本の種子を守る会アドバイザー　印鑰（いんやく）智哉

新型コロナウイルス感染による急速な被害の拡大の中で、二〇二〇年の国会で政府は問題ある数々の法案成立をめざしている。今回扱う種苗法改定法案もその一つだ。残念ながらこの改定案が持つ問題はほとんど知られていないように思う。この法案にはどんな問題があるのだろうか？　政府側は、問題はまったくないので安心してほしい、とメッセージを発信し、審議をほとんどせずに採決して法案を成立させようとしているし、それに多くの農家も気にしていないように見える。本当に懸念はないのか？　見ていきたい。

●種苗法とは

名前が似ていて混乱しがちだが、種苗法は二〇一八年四月に廃止された主要農作物種子法（種子法）とはまったく異なる法律だ。種子法が稲と麦類、大豆に限って、その種子を国や都道府県が責任を持って生産・普及することを規定した、つまり行政の責任を規定した法律であるのに対して、種苗法は花やキノコなどを含むすべての農作物での新品種を育成した人の知的財産権を守るための法律（知的財産権を守って適正に栽培・流通させるための法律）である。

新品種を開発した人（個人・企業）はその品種登録を行い、農水省に受理されると、二五年（果樹などは三〇年）の間、「育成者権」という知的財産権が認められ、独占的な販売ができるようになる。

●種子（タネ）や苗は、誰のもの？

種子や苗はいったい誰のものか？　それは農民のものであるということは長く当たり前のことだった。野生の植物を栽培、選別を繰り返すことでより食用に適した作物が作り出され、現在の種苗となった。だが、大企業が種子業界に入り込みだすと、次第に種苗の知的財産権が強調されるようになってくる。特に一九九〇年代後半、遺伝子組み換え企業が世界の種子企業を次から次へと買収し、現在ではたった四社が七割近くの市場を独占する状況が生まれている。

こうして種子は企業のもの、という政策が強化されてきた。農民のものか、企業のものか、この対立に折り合いをつけたのが現在の種苗法であり、一九九八年に大きな改定が行われた。

現行種苗法の下では、登録品種の種苗を買い、収穫を得た後、その収穫の一部の種苗を農家が次の耕作に使うことは基本的に合法的な権利として認められている（種子を自分で採ることは「自家採種」というが、苗やイモなどで増やす場合は「自家増殖」という。両方を表す場合も「自家増殖」という表現が使われる）。自家増殖した種苗を他の農家に売ったり、譲渡したりすることは違法行為となるが、自分の耕作に使う限りは認められている。

これが今回の種苗法改定では、許諾を得なければすべての登録品種で自家増殖はできなくなる。ただし、制約されるのは、種苗法で登録された品種を市場向けに生産する場合に限られる。伝統的な在来種や登録の期限が切れた品種はこのような制約はなく、さらに家庭菜園や学校の菜園、農家でも自家消費するための畑では、自家増殖は登録品種であっても可能である。

●自家増殖が大事な理由

この種苗法改定について取り上げると、「今どき自家採種する農家なんてほとんどいない」「タネは買うもの」「だから自家増殖禁止（許諾制）にされても何も問題ない。何を問題にしているの？」という反応が農家から来ることもある。全体像がわからないと一般の人びとはここで混乱してしまうようだ。問題を整理してみよう。

農作物といっても、種子や苗のあり方は種類によって大きく異なる。たとえば稲や大豆は、種子を食べることになるから収穫はタネ採りでもある。そのため、稲や大豆を耕作する農家の中には自家採種をしている人が一定の割合でいる。

野菜の場合は、食べるのは葉っぱであったり、根っこであったりする。ほうれん草やニンジンの場合は出荷のために収穫する段階では種子はできていない。種子ができるまで畑に置いておくと、次の作物を植えることができない。特に野菜農家の場合、タネ採りまでやるというのはとても大変で、種子は買うケースが多い。ほうれん草やニンジンなどの野菜で自家採種をする農家は、とても限られている。

一方、イモやサトウキビ、イチゴなどの多年生の作物の場合は、事情が大きく異なる。イモは親芋から増やしていく。サトウキビも苗を買ってきて育てるだけでなく、収穫後の株を残して、そこから育てていく「株出し」を行うのが一般的だ。イチゴの場合は、親株から「ランナー（走出枝）」と言われる子株が出てくるので、一つの親株から子株をいっぱい作って栽培する。つまり、イモやサトウキビ、イチゴ農家にとって自家増殖はなくてはならないものである。そうして、これまでは地域の土に合った味の作物を作ることができていた。しかし種苗法が改定されると、これまで合法だった自家増殖は、その苗の育成者権を持つ人や企業から許諾を得て、許諾料を支払わない限り、栽培が成り立たないということになってしまう。

今回の種苗法改定はこうした自家増殖がなくてはならないような作物であったとしても一律に許諾なしにはできなくしてしまうのだ。これは米国やEUにも前例がないことである。

自家増殖が重要である理由は他にもある。種子は植えられた畑の土や気候を記憶するという。その記憶を後世の種子に伝えていく。同じコシヒカリの種子であっても、新潟のコシヒカリと静岡で自家採種されたコシヒカリではもう異なる種子になっていく。つまり、その土地に合った種子へと変化していくのだ。気候変動が激しくなっていく状況の中で、その地域の環境に適応した種子を確保していくことは、なおさら重要になっていくと言われている。

●日本の優良品種が海外に流出するから自家増殖禁止?

政府は、登録品種において自家増殖を一律許諾制にしなければならない、とした理由を二つ挙げている。

一つは許諾制にしないと、日本の優良な品種が海外に流出してしまうというものだ。

日本の国立農研機構が育成したブドウの新品種、シャインマスカットは、日本では二〇〇六年に品種登録がなされている。ところが、中国で勝手に生産され、日本や世界各地に輸出されるようになり、日本の農業市場にとって大きな痛手となった。このことが、センセーショナルに取り上げられ、流出を防ぐために国内での自家増殖を禁止しなければならない、という結論が導かれる。

だが、考えてみてほしい。国内での自家増殖を禁止することで、中国への流出を防ぐことができたのだろうか？　国内の農家が自家増殖したために、シャインマスカットが中国に流出したのだろうか？

実際に、中国にシャインマスカットを持ち出したのは日本の流通業者であったと考えられる。日本で栽培するよりも中国で作って輸入した方が儲かるということだろう。そして、さらにシャインマスカットの育成者権を持つ農研機構は中国での品種登録を怠った。もし登録していれば生産が発覚した時点で手を打てたが、していなかったためにお手上げになってしまったのだ。現に農水省は二〇一七年一一月に、海外流出を防ぐには「海外において品種登録（育成者権の取得）を行うことが唯一の対策」と断言している。農家の自家増殖を禁止すれば海外流出を防げるというのはまったくおかしな話だ、と言わざるをえない。

●「自家増殖禁止にしないと新品種が作れない」は本当？

もう一つの理由が、農家の自家増殖を禁止しないと種苗企業が新品種を育成する気力を失ってしまう、というものだ。新しい登録品種を作るには一〇年単位の時間と費用がかかる。農家が自家増殖してしまったら、この育成費用が回収できなくなってしまうからだ、という。

日本政府は知財立国政策を掲げ、農水省も農業とは「知識産業・情報産業」であり、知的財産権を世界に売って儲ける戦略（「農林水産省知的財産戦略２０２０」）を二〇一五年に掲げる。種苗の知的財産権はその中核をなし、政府は「年間１０００件以上の品種登録審査を着実に推進」し、登録品種の増加をめざした。果たして登録品種は増えたのだろうか？

図1を見ていただければわかるが、世界各国が登録出願数を増やす中、日本だけが急激に減らしており、二〇〇七年には世界第二位であったのに、二〇一七年には中国や韓国にも抜かれて世界第五位に落ちている。なぜ、日本だけ登録品種の出願数が減るのだろうか？　農家が自家増殖してしまうからだろうか？　種苗会社の状況を見ると違う事情が見えてくる。

新品種を育成するには長い時間がかかるため、その間、安定した予算が確保されることが重要になるが、国立農研機構で育種に関わった方ですら、農水省の検討会で、予算の長期的安定確保に懸念を表明している。また、種苗は工業製品とは異なる「生きた命」であり、それを育成するためには世話をする人が不可欠である。しかし、圃場（ほじょう）（作物を育てる水田や畑）を管理する人材は、今、農村地域では得がたくなっている。種苗会社によっては海外からの研修生に頼っているところもある。

さらに、もっとも肝心の種苗の買い手である農家の数が減っている。種苗会社によっては農

［図1］各国における新品種国内登録出願数の推移

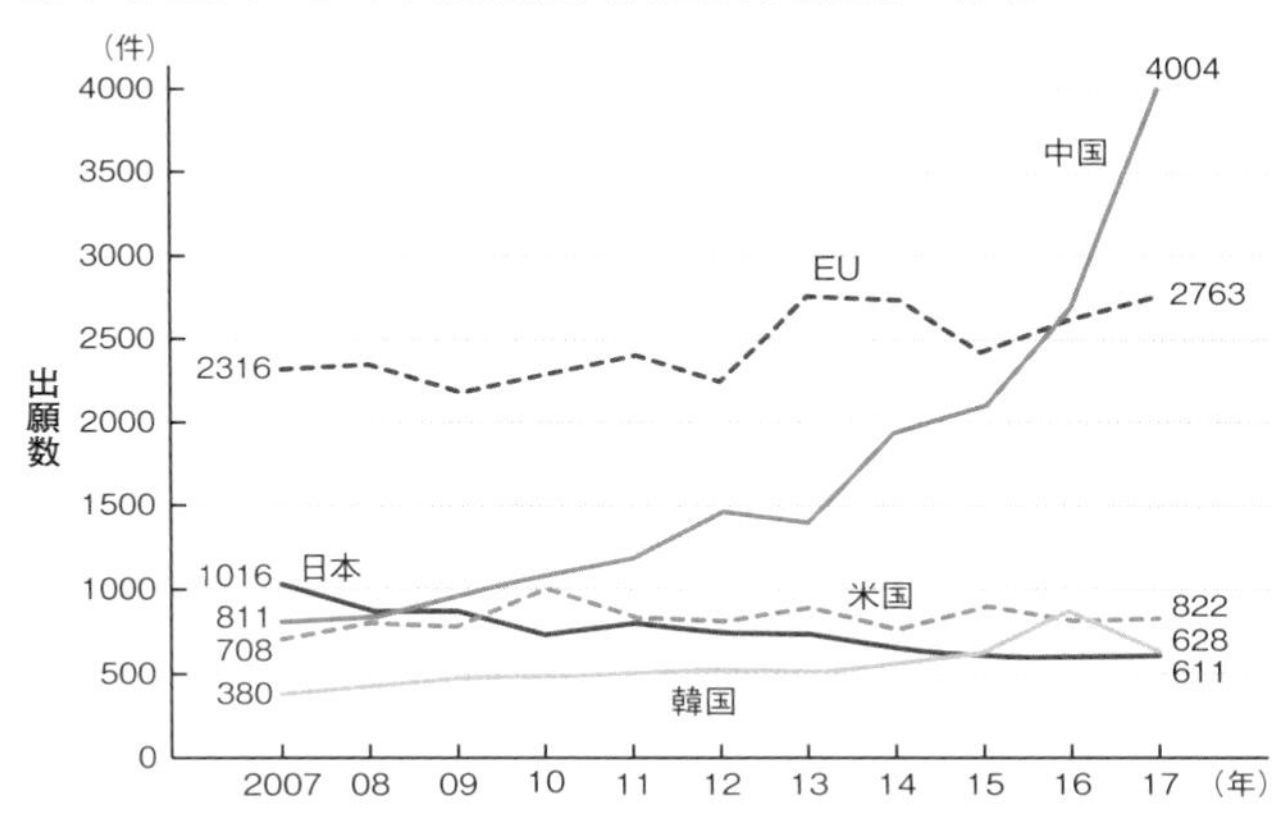

出典:UPOV　※"Residents" を国内出願分として集計
農林水産省「植物新品種の保護をめぐる状況」
第1回優良品種の持続的な利用を可能とする植物新品種の保護に関する検討会資料、2019年3月27日
以上をもとにイミダス編集部が作成

家を対象とするだけでは売り上げの減少を避けられないとして、ホームセンターで家庭菜園などに向けた種苗の売り上げで補おうとしている。だが、家庭菜園では自家増殖は自由だ。こういう中で、自家増殖を禁止したとしても、日本の登録品種の数が果たして増えるだろうか？

図2（一四一ページ）は日本における登録品種の出願数なのだが、一九八〇年代までは新品種のほとんどが国内で育種されていた。その後、海外で育種されるケースが増え、二〇一七年（平成二九年度）では日本に出願される品種の四三％が海外で育種されたものに

なっている。ここから読み取れるのは、国内での育種がより困難になってきており、よい育種環境を求めて、海外に進出しているというのが現実なのではないか。日本での新品種育成が減っているのは、国内農家の自家増殖が原因というよりも、新品種育成を取り巻く日本の農村政策に起因する農業生産環境の悪化に大きな原因があると言わざるをえない。

●公共の種苗事業も危うくなる

さらに、付け加えておきたいのが、公共の種苗事業の今後についてである。国や都道府県はこれまで、農業試験場などで稲、小麦、大豆、柑橘類（かんきつるい）、イモ類、花などの種苗事業（種子も含む）を行ってきた。

こうした公共の種苗事業では、地域の農業への貢献が第一に考えられ、その事業自体の収益性は大きな問題とはなってこなかった。農家は農業協同組合などを通じて、地方自治体が提供する安くて優良な種苗を得ることができ、しかも自家増殖することが可能だった。地方自治体の種苗事業はたとえ赤字であっても、その優良な種苗のおかげで農家を支えることができ、地域の農業を維持し、回していくことができる。その点、きわめて効果的であったと言えるだろう。この公共の種苗事業の存在もあり、民間企業の種苗業は、野菜や花などをメインに展開されてきた。

［図2］海外からの出願状況

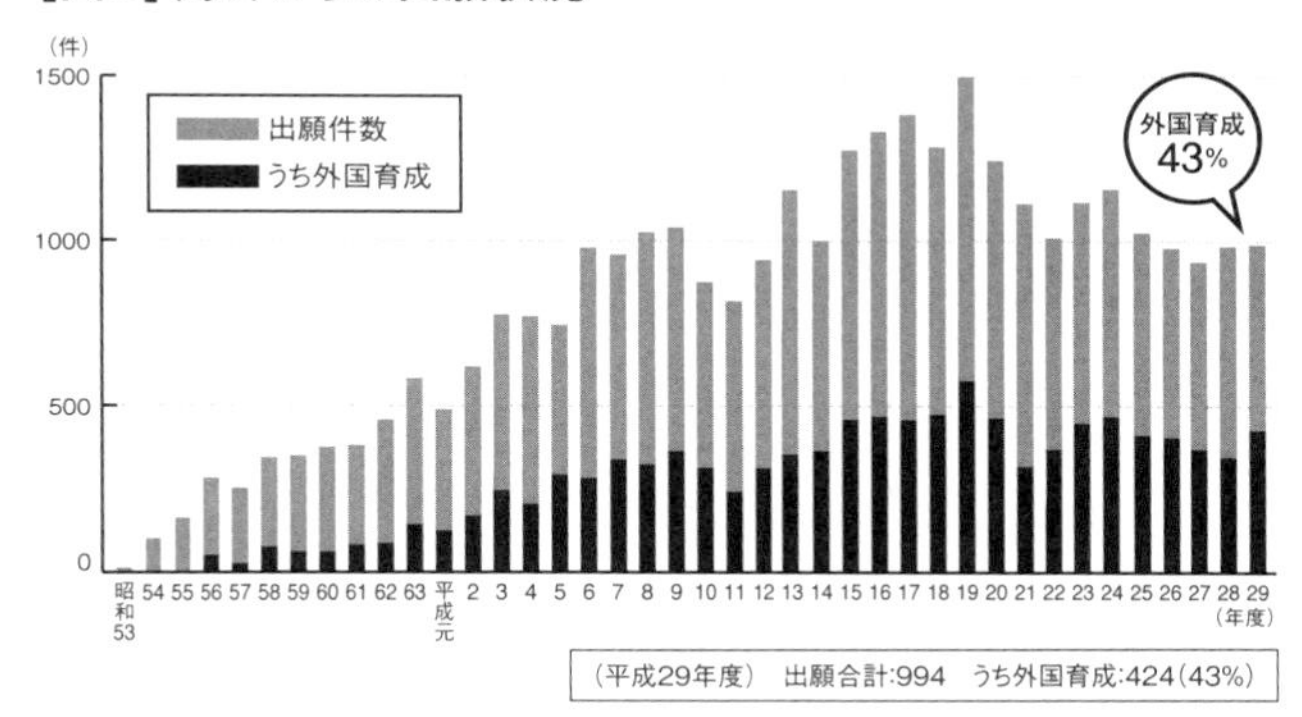

農林水産省食料産業局
「国内外における品種保護をめぐる現状」（2019年1月28日）をもとにイミダス編集部が作成

二〇一八年に行われた種子法の廃止は、米、麦、大豆の種子事業において、地方自治体と民間企業が等しく競争することができるようにするものだった。今回の種苗法の改定は、米、麦、大豆以外の種苗事業にまでそれが広がることを意味する。営利性よりも地域や長期的な農業の安定性をめざすことに貢献してきた公共の種苗事業は、営利組織との競合の中で、利益が得られない部門を削減することに追いやられるだろう。

＊＊＊

種苗を育成した者の権利（育成者権）と農民の権利（自家増殖する権利）はいわば車の両輪であって、どちらも回らなければ農業は寂れていく。寂れてしまえば種苗会社も成長することはできなくなる。だからこの二つの権利のバランスが重要であるのに、今回の種苗法改定ではそのバランスを無視していると言わざるをえない。

　都市への集中が進み、農業を総合的に育てる政策が欠如した中で、日本の農村は寂れつつある。そして、日本の種苗産業も多国籍展開を遂げる一部の大きな企業を除けば厳しい状況が続いている。日本国内での種苗の育成が困難になってきている。このような状況下でさらに農家を一方的にしぼり上げるような政策が果たしてうまく機能するだろうか？　ますます日本の農業が疲弊する方向に行かざるをえないのではないか？

　今、国連が農業政策で掲げる柱は二つある。一つは化学肥料や農薬に依存しない農業をめざす有機農業を含むアグロエコロジー（注）であり、もう一つは小規模家族農家の支援である。

　これまで世界は、農業を工業化し、民間企業を参入させていけば、農業は生産力があがって、世界の飢餓も解消すると考えていた。

　しかし、民間企業に農業を任せれば、食料における安全保障が危うくなることが二〇〇七年、二〇〇八年の世界食料危機で明らかとなり、その後、国連は小規模家族農家重視政策へと転換していく。現在の新型コロナウイルスでも輸出志向の工業型農場の生産が止まってしまっていることが報道されている。工業型の食のシステムは危機に弱いのだ。気候変動の激化を受けて、化学物質に依存した農業を変えなければ、ということでアグロエコロジーを推進する国の数もどんどん増えている。

そして、独占された種類の限られた種子・種苗よりも地域に適応している多様な在来種こそ、気候変動が激しくなる今後に重要であるとして、世界各地で在来種を守る条例や法制化の動きも活発になっている。二〇一八年に成立した「小農と農村で働く人びとの権利に関する国連宣言」では種子についての小農の権利が明記されている。

残念なことに、世界で起きたこうした重要な転換は、日本では無視されている。いまだに日本政府は、「輸出できる農業」「農業の規模拡大」「民間企業の農業参入」を掲げているままだ。そして、その延長線上にこの種苗法改定もあり、一心不乱に民間企業の知的財産権拡大に努めようとしている。今、日本では多数の在来種が毎年急速に消えつつあるが、政府はこちらの方は一顧だにしない。

日本の食料自給率（カロリーベース）は三〇％台という状況である。このままいけば、日本の未来は（農業だけでなく）絶望的なものとなってしまうと言わざるをえない。

今こそ、政策の大きなシフトチェンジが不可欠であり、種苗法を改定している場合ではない。日本の食と農の今と未来を全面的に考え直すときだろう。

【付記】 種苗法改定法案は、二〇二〇年の通常国会においては成立は見送りとなった。世界的なコロナウイルスの流行は、工業的企業型農業に大きな影響を与えている。こういった農業は、種子・種苗も、化学肥料も、農薬も、働く労働者も、グローバルな遠距離輸送に依存しているため、その操業に問題が生じている。コロナ禍は、地域の小規模家族農家に依拠したローカルな食の生産の重要性に世界があらためて気づく機会となった。〔著者〕

注　アグロエコロジー／生態系を守るエコロジーの原則を農業に適用する科学であり、その農業の実践であると同時に、食や農業の在り方を変える社会運動でもあるとされる。工業化された農業に対するオルタナティブとして注目を集める。

Ⅲ 内政・外交のいま

二〇一九年五月一〇日　公開

アベノミクスは賃下げ政策！

GDPかさ上げの「ソノタノミクス」で隠された現実

弁護士　明石順平
構成・文　畠山理仁

安倍政権の一番の目玉である経済政策「アベノミクス」。政府は「戦後最長の好景気」とうたうが、景気回復を実感できない人も多いのでは？　なぜ政府が発表する「成果」と人々の生活の「実感」がずれるのか。安倍政権の経済政策のカラクリを読み解いてきた弁護士の明石順平さんに聞いた。

●アベノミクスとは何だったのか

――「アベノミクス」という言葉は多くの人が知っています。しかし、実際にどんな成果を上げているのかを理解している人は少ないのではないでしょうか。

明石　ほとんどの人が知らないと思いますね。アベノミクスは「(一)大胆な金融政策」「(二)機動的な財政政策」「(三)民間投資を喚起する成長戦略」という「三本の矢」を柱とする経済政策と言われています。しかし、事実上は「大胆な金融政策」に尽きると言っていいでしょう。

大胆な金融政策とは、日銀が民間銀行等から国債を「爆買い」して、通貨を大量に供給することです。今は少し落ち着いていますが、ピーク時には借換債等を含めた総発行額の約七割を日銀が買っていました。

――そんなことをして大丈夫なのでしょうか。

明石　円の信用を保つため、日銀が国債を直接引き受けることは財政法五条で禁止されています。しかし、今の日銀は、いったん民間金融機関に国債を買わせて、すぐさまそれを買い上げる、という手法を採っています。最終的に日銀がお金を出すという点では直接引き受けと同じですから、「脱法借金」と呼ぶべきです。

しかし、今、この脱法借金をやめると国債が暴落して金利が跳ね上がり、円も暴落するから、もうやめられません。だから続けるしかないのですが、これで円の信用を維持できるとは思えません。また、日銀や年金積立金といった公的資金を使って、無理やり株価や不動産価格を上げようとしています。

——なぜ、そんなことをするのでしょうか。

明石　当初はこの「異次元の金融緩和」により、銀行の貸し出しも増え、物価が上がって消費も伸びると言われてきました。しかし、実際には二つとも失敗して、消費は格段に落ちました。アベノミクスは史上空前の大失敗です。

——しかし、物価は上昇していますよね。

明石　日銀の目標は「前年比二％の物価上昇」でした。二〇一二年と二〇一八年を比較すると、物価は六・六％上がっています。そのうちの二％は消費税増税の影響（日銀の試算）で、四・六％は円安による影響が最も大きいでしょう。異次元の金融緩和前は一ドル＝約八〇円程度でしたが、ピーク時で一ドル＝約一二〇円程度になりました。これは通貨の価値が三分の二に落ちたのと同じです。二〇一五年頃に原油価格の急落があって円安による物価上昇をある程度相殺してくれましたが、二〇一七年頃からまた原油価格が上がり始めたので、相殺効果が薄れ、物価が上がり始めました。

一方、名目賃金の推移を見ると、アベノミクス前までずっと下げ基調で、それ以降はほぼ横ばいです。そんな状況にあるのに、一年間で二％も物価を上げたら消費が伸びるわけがありません。アベノミクスを簡単に言えば「賃下げ政策」で、その結果、「日本は貧乏になりました」ということです。

――そんな政策がなぜ支持されるのでしょう。

明石　自民党を支持する経団連の主要企業は輸出大企業です。円が安くなれば、彼らは為替差益で儲（もう）かります。一ドル＝約八〇円から一ドル＝約一二〇円になれば、売り上げが一・五倍になって大儲けです。また、グローバルで見たときに、日本国内の労働者の賃金を下げることができます。輸出大企業は懐が潤い、大多数の国民は貧乏になる。これがアベノミクスです。だから、消費の落ち方がひどいんです。

二〇一四年から二〇一六年にかけては、ＧＤＰの約六割を占める実質民間最終消費支出が三年連続で落ちるという戦後初の現象が起きています。二〇一七年には少し回復しましたが、それでも二〇一三年を下回っています。四年前を下回るのも戦後初の現象です。戦後最悪の消費停滞が起きています（図1・一五一ページ）。

その停滞も、実はもっとひどい可能性があります。二〇一六年一二月にＧＤＰの計算方法が改定され、消費の部分を大きく「かさ上げ」しているからです。特に二〇一五年は、八兆円以上「かさ上げ」しています。これをしていなければもっと悲惨な結果になっていたでしょう。

●ソノタノミクスとは

――アベノミクスは「戦後最長の景気拡大」「GDPも伸びた」と説明されてきました。明石さんの話を聞くと、全く違う気がします。

明石　これには明確な理由があります。GDPの計算方法が改定された影響でGDPが異常に「かさ上げ」され、アベノミクスの失敗が覆い隠されているんです。

計算方法改定前は、名目GDPのピークだった一九九七年度（五二一・三兆円）と二〇一五年度（五〇〇・六兆円）の間に二〇兆円ぐらいの差がありました。それが計算方法改定後は、一九九七年度の名目GDPは五三三・一兆円、二〇一五年度が五三二・二兆円になり、ほぼ追いつきました。アベノミクスが始まった二〇一三年度以降からの「かさ上げ」額が急上昇していることがわかります。そして二〇一六年度と二〇一七年度、めでたく「過去最高を更新した」と言っています。計算方法の改定で、歴史が大きく変わってしまったわけです。

計算方法の改定は、表向きには「2008SNA」という国際的な歳出基準への対応ということが強調されました。これにより、新たに研究開発費等の二〇兆円がGDPに加算されることになりました。しかし、もっと重要なのは、どさくさに紛れて国際基準と全然関係のない

[図1] 実質民間最終消費支出の推移

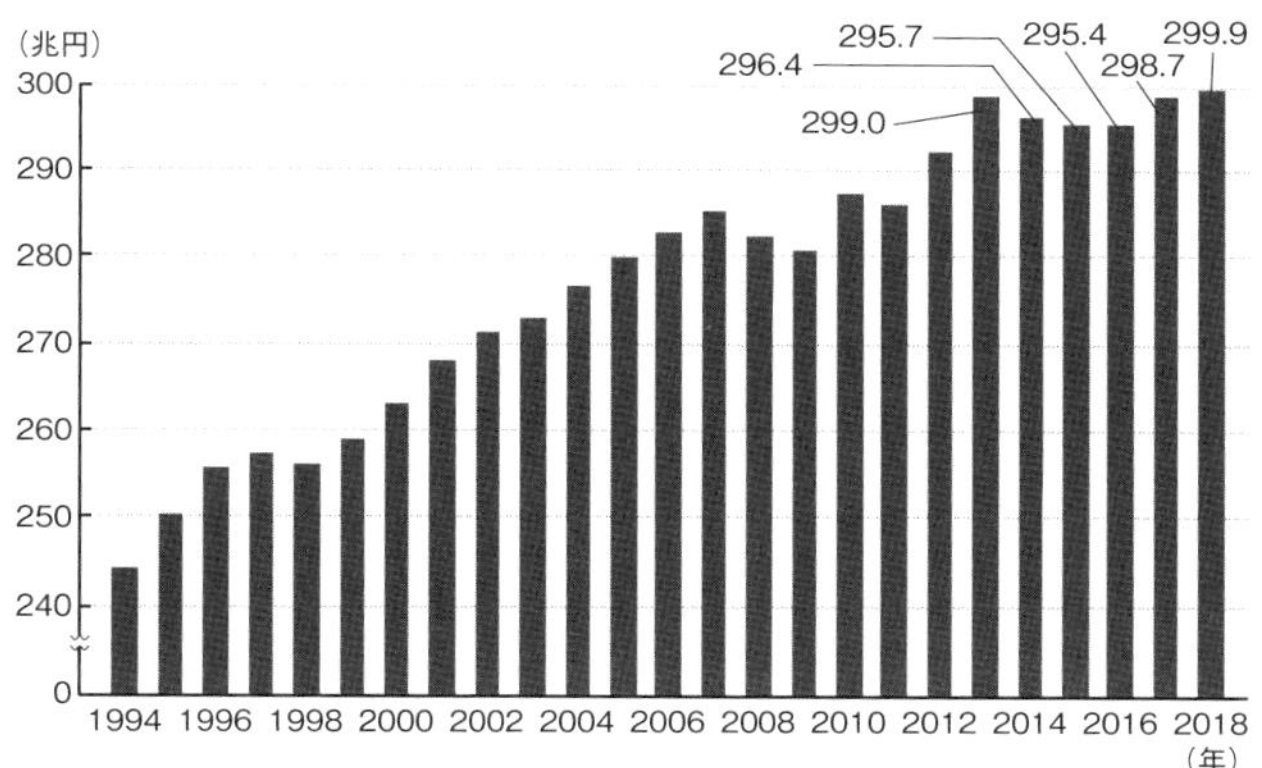

内閣府ウェブサイト「四半期別GDP速報」（2019年3月8日公表）をもとにイミダス編集部が作成

「その他」という部分でかさ上げがされたことです。改定前後の差額を大きく二つに分けると、「2008SNAによって生まれた差額」と「その他によって生まれた差額」がありますが、「その他」ではアベノミクス以降の二〇一三〜二〇一五年度では平均五・六兆円の「かさ上げ」がされています。なお、アベノミクス以前については、かさ上げどころか「かさ下げ」されており、特に一九九四〜一九九九年度は平均してマイナス三・八兆円もかさ下げされています。

――「その他」とは何なのでしょうか。

明石　「その他」は計算方法改定から一年間、詳細な内訳表すら公表されませんでした。本来なら「何で分析してないの?」という話ですよね？

二〇一七年二月に私がブログに書いたときには話題にもなりませんでしたが、二〇一七年一二月二四日にＢＳ－ＴＢＳの「週刊報道ＬＩＦＥ」がこの問題を取り上げることになり、内閣府がようやく「内訳表〝に近いもの〟」を急造して出してきました。

内閣府は「持ち家の帰属家賃」「建設投資」「自動車（総固定資本形成）」「自動車（家計最終消費支出）」「飲食サービス」「商業マージン」を出してきました。しかし、これらの合計と「その他」の差額は最高で二・七兆円もあります。だから「内訳表」ではなく、「内訳表〝に近いもの〟」なんです。都合のいい項目を後から切り出して調整した可能性もあります。

――明石さんは「その他」でＧＤＰが「かさ上げ」される現象を「ソノタノミクス」と呼んでいますね。

明石　気づいたきっかけは、新旧の差額の内訳表をグラフにして驚いたことでした。「これは大発見だ。これを明らかにしたら日本の株価が大暴落するのではないか」と思って、びくびくしながらブログに公開したのに、当時の反応はゼロでした。

「そんなこと、国がやるわけないじゃん」という思い込みがあったんでしょう。でも、森友問題、加計問題が発覚したことで、「あっ、この政権は公文書の改ざんまでやるんだ」という認識が世間にできてきた。最初は誰も信じてくれませんでしたから、ここまで来るのは長い道のりでしたね。

二〇一九年二月一八日の衆議院予算委員会で小川淳也衆議院議員が追及していましたが、第二次安倍政権になって、全部で五三件の基幹統計の統計手法が見直されています。しかも、三八件がGDPに影響するものです。さらに、そのうち一〇件は統計委員会への申請がなく、政権がトップダウンでやらせた見直しです。

これは、「いい点が取れないから採点基準を変えちゃえ」という発想です。「身長を伸ばすために身長の測り方を変えます」「靴を履いてもいいことにします」「背伸びしていいです」「つま先立ちもOKです」。本当にそういう感じのことをやっている。安倍内閣が成長戦略の一つに「統計改革」を掲げているのも、バカげていると私は思います。

●現実を直視しない日本人

――明石さんは名目賃金伸び率のカラクリについても指摘していました。

明石　賃金については、二〇一八年一月から算出方法を変えています。一部が違うサンプル同士をそのまま比べて「伸びました」と嘘の数字を公表しているわけです。賃金が下がれば消費が下がりますから、どっちもごまかそうとしている。そんなイカサマをしても物価の伸びが上回っているので、実質賃金は全然伸びていないんです。

アベノミクスは開始から六年も経つのに、いまだに実質賃金は二〇一二年の民主党時代の数字よりもずっと下です。食べ物が小さくなったり、値段が上がったりしたと感じるのは、アベノミクスが理由です。

——民主党政権時代の方が、まだ伸びていたんですね。

明石　別に民主党が優れた経済政策をしていたわけではありません。特に何もしてない。でも、経済は政府が大きく動いたからといって、急に良くなるものではありません。

賃金のかさ上げもそうですが、「かさ上げ」してもしょぼいのが「ソノタノミクス」の特徴です。

具体的に言うと、例えば二〇一三年から二〇一七年の五年間かけて、名目賃金は一・四％しか伸びていません。二〇一八年は算出方法を変えるイカサマをしたので、一年で一・四％伸びましたが、物価が一・二％伸びているので、結局実質賃金は〇・二％しか伸びておらず、ほぼ横ばいです。

難しく考える必要は何もありません。賃金と物価の推移だけをグラフにして、消費はこうなりましたと示せばわかる。アベノミクスの失敗は一つのグラフにまとまります（図2）。

[図2] 賃金と物価の推移

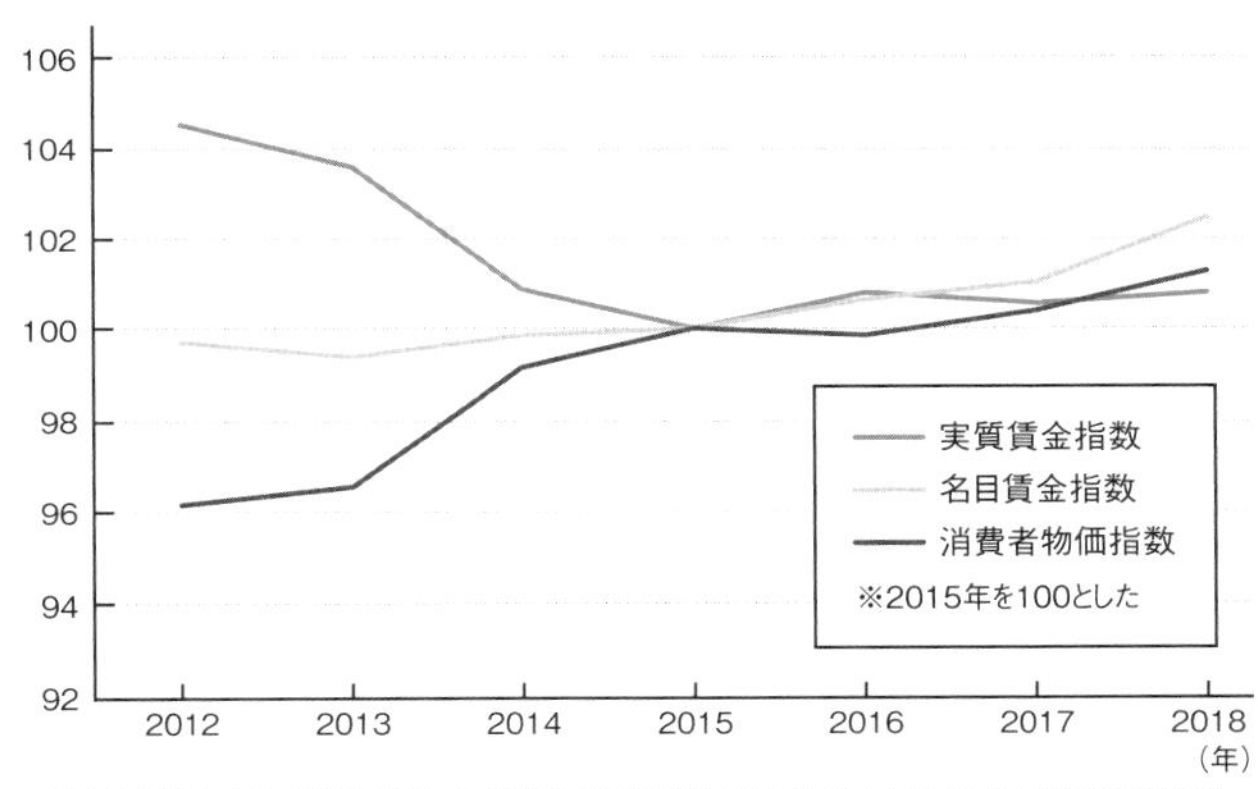

厚生労働省「毎月勤労統計調査」、総務省「消費者物価指数」をもとにイミダス編集部が作成

——それでも皆がアベノミクスに異を唱えないのはなぜでしょうか。

明石　わかりやすいからでしょうね。国民は単純なんですよ。今までの選挙結果を振り返ってみると、小泉純一郎首相が「郵政民営化」と言ったときは、誰も意味をわかっていなかったけれども大勝しました。「政権交代」を叫んで大勝した民主党がダメになった後は、アベノミクスで大勝している。全部ワンフレーズで選挙の結果が決まっています。ワンフレーズポリティクスって、選挙に勝つためには正しいんですよね。

——日本人に、船が沈みかけている自覚はあるんでしょうか。

明石　私は「この船はいったん沈む」と思っていますが、その点に共感している政治家はほとんどいませんね。

――それでもまだ国家として存続しています。

明石　まだだませているということです。円の信用が続く限りは続きますが、世界に「日本、ダメだな」と思われたら、ドーンって行きますよ。人類史上最悪の恐慌が来るでしょうね。

――ものすごく悲観的な見方をしていますが、衝撃を和らげる方法はあるのでしょうか。

明石　ありません。財政再建の方法は緊縮と増税です。「死ぬほど痛い目に遭う」か「死ぬか」の二択という状況です。でもいくら説明しても理解を得るのは不可能でしょうから、私は財政再建を完全に諦めています。

消費税率を二％上げたところで、財政状況はたいして改善しません。もうすぐ死ぬ人に注射をするようなものです。

――日本の危機は、いつ来るのでしょうか。

明石　二〇二三年には後期高齢者（七五歳以上）が二〇〇〇万人を突破します。団塊の世代が後期高齢者に達することで、介護・医療費などの社会保障費の急増が懸念されている二〇二五年問題もあります。後期高齢者二〇〇〇万人以上という水準は五〇年間続き、社会保障費の増大で政府の資金繰りは絶望的な状況になりますので、円の信用を維持したままで二〇二〇年代を乗り切れるとは思えません。私はもう破滅的事態を覚悟しています。そこからどう立て直せるか、という点が重要です。

二〇一九年五月三〇日 公開

拉致問題、北方領土交渉で「たたき売り」状態の安倍外交

共同通信客員論説委員 岡田 充

●「高値」でナショナリズムを煽る

安倍晋三の対ロシア外交と対北朝鮮外交は驚くほど似ている。最初は高値をふっかけ、相手が乗らないと見るや値を下げてゆく。まるで「バナナのたたき売り」だ。バナナのたたき売りは寅さん映画でお馴染みだと思うが、外交となれば当然、たたき売りとは異なる。

それは詰めかけたヤジウマ(国民)の反応だ。ふつうのたたき売りであれば、ヤジウマにとって値下げは織り込み済み。香具師の巧みな口上を楽しめばそれでいい。

だが安倍外交はそうではない。「北方四島一括返還」と「全拉致被害者の即時帰国」という「高値」は、国民に両国への敵意とナショナリズムを煽る。値下げはそれに対する「裏切り」

につながりかねない。これを「自縄自縛」と言う。

●「安倍には一切取り合うな」

まず対北朝鮮。「外交の安倍」という永田町神話が虚妄に過ぎないことを立証するエピソードから紹介する。歴史的な米朝首脳会談が実現するキッカケになった二〇一八年の韓国平昌（ピョンチャン）冬季オリンピック。二月九日夜、安倍首相、ペンス米副大統領ら首脳級が開幕式レセプションに集まった。北朝鮮代表団を率いる金永南（キムヨンナム）最高人民会議常任委員長（当時）も出席した。このとき、安倍が金永南に声をかけたのだ。在京の北朝鮮消息筋が、そのときの様子を打ち明けてくれた。金はこう振り返る。

「隣に座った旧知のグテーレス国連事務総長と昔話に花を咲かせていた。遠くを見ると、安倍がひとり所在なげに座っている。文在寅（ムンジエイン）・韓国大統領に促されて席を立とうとすると、日本の通訳が駆け寄り、続いて安倍も近寄り立ち話になった。彼は『平壌（ピョンヤン）宣言と（拉致被害者の再調査を約束したとされる）日朝ストックホルム合意に立ち戻りましょう』と言うので、私は日本の植民地支配に対する謝罪と賠償が先だと答えた」

北朝鮮消息筋は、続いてこう打ち明けてくれた。「トランプ大統領が米朝首脳会談を発表した二〇一八年三月初め以降、安倍政権はいろいろなチャンネルで日朝首脳会談の可能性を打診してきた。しかし平壌の答えは『一切取り合うな』」。

●成果なく「値下げ」開始

その後、核・ミサイル問題と朝鮮半島の平和構築をめぐる情勢は急展開した。二回の米朝首脳会談をはじめ、南北首脳会談、中朝首脳会談に続き二〇一九年四月にはロ朝首脳会談も開かれた。核・ミサイル問題の「六カ国協議」メンバーで、首脳会談が実現していないのは日本だけ。「蚊帳の外」に置かれた安倍の焦りは募る一方だっただろう。

安倍政権の北朝鮮外交には二つの特徴があった。

第一は、核・ミサイルより拉致問題を優先したこと。首相就任直後の二〇一三年一月の所信表明演説で彼は、中国を念頭に領土防衛を挙げたあと、「そして何よりも、拉致問題の解決です。全ての拉致被害者のご家族がご自身の手で肉親を抱きしめる日が訪れるまで、私の使命は終わりません」と、大風呂敷を広げてみせた。第二は、徹底した「圧力路線」。安倍が第一回米朝首脳会談の直前まで、「対話より圧力」の硬直姿勢を続けたのはよく知られている。

だが北朝鮮と各国の対話が軌道に乗り始めると、安倍政権は対話路線に舵（かじ）を切った。二〇一八年九月の国連総会で安倍は「金正恩（キムジョンウン）委員長と直接向き合う用意がある」と、遅まきながら直接対話を呼びかけたのである。

それ以来、「たたき売り」モードのスイッチが入ったかのように、値を下げていく。例えば、二〇〇八年に開始した国連人権理事会での「対北朝鮮非難決議案」提出を、二〇一九年三月に初めて見送った。さらに大きい変化は、二〇一九年度版の「外交青書」だ。北朝鮮の核・ミサイルを「重大かつ差し迫った脅威」としていた前年度版の記述が消えた。拉致問題についても、北朝鮮に圧力をかけ「早期解決を迫っていく」という表現がなくなる。

●米朝足踏みでさらに遠のく直接対話

変更の理由について外務省筋は「直接対話に向けた環境づくり」と説明する。しかし、朝鮮中央通信は「対北朝鮮非難決議案」の提出見送り以降も、「(拉致問題を提起する安倍政権は)歴史的な責任と義務から逃れようとしている」(二〇一九年三月一六日)などと、名指し批判を続けている。

先の北朝鮮消息筋は、「日本政府は四月、対北独自制裁を二年間延長した。制裁を少しでも緩和するならともかく、何のための(対話)環境づくりか。現段階では(直接対話は)程遠い」と筆者に話した。ハノイでの第二回米朝首脳会談が物別れに終わり、核・ミサイル問題と朝鮮半島の平和構築が足踏み状態に入った今、日本の出番はさらに遠のいたと言うべきだろう。

「政治生命を賭けた」はずの拉致問題でも「たたき売り」が始まった。安倍は五月六日、日朝首脳会談について、前提条件を付けずに会談の早期実現を目指すと言明、従来方針を大転換した。この方針転換に対しては、さすがに自民党内部からも「説明責任を果たす義務がある」など不信の声が相次いだ。

そもそも「全拉致被害者の即時帰国」という要求自体が、ハードルが高すぎるのだ。平壌にとっては、二〇〇二年の日朝首脳会談で金正日（キムジョンイル）が日本人拉致を認め謝罪したことで、拉致問題は「解決済み」なのである。首脳会談への道は遠い。

たとえ会談が実現したとして、もし拉致問題で「成果ゼロ」だったら、安倍はどうするつもりなのだろう。ナショナリズムを煽ったツケは大きい。

●「二島返還」へ方針転換

ロシア外交に移る。安倍は二〇一九年一月二二日、モスクワでプーチン・ロシア大統領と二五回目の首脳会談に臨んだが、前進のないまま終わった。この会談は特別の意味を持っていた。なぜなら、安倍が二〇一八年一一月の首脳会談において、日ソ共同宣言を基礎に平和条約締結交渉を進め歯舞（はぼまい）・色丹（しこたん）の二島返還に方針転換すると表明したあとの会談だったからである。

これまでの日本政府の基本方針は、「北方領土」は「ロシアの不法占拠の下に置かれている我が国固有の領土」であり「北方四島早期返還の実現」（内閣府ＨＰ）を目指すというものだった。二島返還への方針転換は、まさに「たたき売り」である。

ついでに言えば、二〇一九年度版の「外交青書」から「北方四島は日本に帰属する」(二〇一八年度版)の記述が消えた。安倍は二〇一八年末以来、国会答弁などで「帰属の問題」や「不法占拠」という表現を使うのを徹底して避けてきた。

これだけ値下げしたのだから、何らかの進展があるはずという期待値はおのずと上がる。だがロシアは、「黙っていても値下げしてくれる」と、安倍の足元を見透かしたに違いない。その後の交渉でロシアが見せた答えは、安倍政権にとっては強硬一色だったからである。

●日米基軸が足かせに

領土問題を冷静に見つめれば、国際環境、安全保障、歴史と、どの視点から検証しても、プーチンが領土を引き渡す誘因はない。それが筆者の結論である。

まずは国際環境と安全保障の視点から検証する。

安倍が二島引き渡しへと方針転換したのは、「前提条件なしに年末までに日ロ平和条約を締結しよう」(二〇一八年九月ウラジオストクのフォーラム)というプーチンの〝くせ玉〟発言が契機となっている。

くせ玉の狙いはどこにあったのか。クリミア併合をめぐって西側の制裁を受け、シリア問題でも欧米と対立するプーチンにとって、対日関係改善の主要な狙いは、主要先進七カ国（G7）の一角である日本を切り崩し、経済的利益を得ることにある。領土を返還せずに平和条約を結べば、国内的には間違いなく株は上がる。

ロシアにとって対米関係こそが主要課題であり、その核心は安全保障問題だ。ロシアは二島の施政権が日本に移れば、日米安保条約第五条の適用対象となり、米軍基地ができるのではないかとの懸念を表明してきた。日ロ関係とは、安保上は米ロ関係なのだ。

プーチン自身、二〇一六年一二月に山口県で開かれた日ロ首脳会談で、日米安保条約の存在に対する懸念やウラジオストクを基地とするロシア艦船が太平洋に出るルート確保の必要性を強調している。

「太平洋に出るルート」とは、国後島と択捉島の間にある「国後水道」を指す。ロシアは、オホーツク海に原子力潜水艦を展開させ、アメリカの核攻撃に反撃できる対応をしている。その原潜の「通り道」が、「国後水道」である。したがって「四島返還」など、ハナから頭にない。

安倍はプーチンに「返還後の島に米軍基地を置かない」考えを伝えたとされる（「朝日新聞」二〇一八年一一月一六日）が、ロシアは納得していない。プーチンは沖縄の米軍基地問題について、「日米同盟下で日本が主権を主体的に行使できているのか」と、疑問を投げた（「共同通信」二〇一八年一二月二〇日）。ロシアとの領土問題の最大の足かせが、「日米基軸」外交にあることがよくわかる。日中でも日ロでも、「同盟」が外交の選択肢を狭めている。

●「四島領有は正当」が出発点

そして歴史問題である。ラブロフ・ロシア外相は二〇一九年一月の日ロ外相会談で「日本は南クリール諸島（北方領土のロシア側呼称）を含め、第二次世界大戦の結果を完全に認める必要がある」と主張した。

ロシアでは、第二次世界大戦でナチス・ドイツと日本に勝利した「偉大な大国」という誇りが、旧ソ連が崩壊した今も引き継がれている。「四島を正当に領有した」というロシアの主張は、対日交渉の出発点なのだ。これを日本が認めない限り、平和条約にもサインしない。そうでなければ戦後七〇年以上、北方四島を領有してきたロシアの「戦後レジーム」の正統性は失われてしまう。

河野（こうの）太郎外相は同年五月一〇日、モスクワでラブロフ外相と会談したが、戦後レジームをめぐる双方の主張は、依然として平行線のままである。

一方、安倍が「帰属の問題」や「不法占拠」という表現を使わなくなったのは、「返還要求」の根拠である法的立場でも、ロシアに妥協する可能性をうかがわせる。「たたき売り」で言えば、買い手の言い値通りの展開になりつつある。

しかし安倍が全面降伏して、平和条約に調印したとしても「二島引き渡し」はないだろう。ここまで論じてきた安保上の必要と戦後レジームの正統性に加え、ロシア国内世論の反対がその理由だ。プーチンは二〇一九年一月の首脳会談で、「平和条約は両国の国民に受け入れられ、世論に支持されるものでなければならない」と、含みのある言い方をした。首脳会談を前に「クリール諸島はロシア領」と書いたプラカードを掲げたデモが、首都モスクワや極東のハバロフスクで繰り広げられた。ロシア人の八割弱が返還に反対という世論調査結果を見れば、支持率が下落しているプーチンにとって、領土引き渡しは極めてリスキーである。

●「レガシー」づくりと対中抑止が狙い

それでは、安倍の狙いはどこにあるのだろう。

平和条約とは、戦争状態の終結を公式に確認し、賠償や領土問題を解決するためのものである。しかし、条約が締結されていない現状でも、日ロの友好関係は維持されている。だとしたら条約締結を急ぐ理由はあるのか。領土返還要求に対する日本世論も、前世紀のように沸騰しているわけではない。「北方領土」と「改憲」で、歴史に名を刻みたい安倍個人の「レガシー」願望以外に、どんな思惑があるだろうか。

安倍がプーチンと二五回も首脳会談を重ねてきたもう一つの理由は、日ロ接近によって「対中抑止」効果を得るという期待にある。しかし、時代錯誤の「対中抑止」戦略は、対ロシア外交においても成果を挙げることはない。

なぜなら、ロシアと中国にとって、良好な関係の維持は米トランプ政権に対抗する上で共通利益だからだ。ロシア側に「中国に経済的に飲み込まれる」という懸念はあっても、その構図は変わらない。そもそも中ロの貿易額は日ロの約五倍に達し、さらに増加中である。ロシアにとって、中国との関係に比べ、日本との関係が持つ比重は落ちる一方なのである。

ここでも、日本の存在感と発言力が加速度的に失われたこの六年を思い知らされることになる。

（敬称略）

二〇二〇年一月二〇日　公開

「日米安保六〇年」日米同盟からみる自衛隊中東派遣の目的とは？

ジャーナリスト　布施祐仁

二〇二〇年一月一九日、日米安全保障条約は、改定から六〇年を迎えた。二〇一九年末には自衛隊の中東派遣が閣議決定され、年明けからはアメリカとイランとの緊張関係が続いている。安保改定六〇年を経た今、これからの日米同盟はどうあるべきか。

中東への自衛隊派遣をめぐり、衆参両院で一月一七日、閉会中審査が行われた。この問題に関して国会で実質的な審議が行われたのは、これが初めてである。派遣の理由や目的を日本政府がどのように説明するのか注目していたが、説明を聞いてもよく分からなかったというのが正直な感想であった。

今回の派遣が分かりにくいのは、中東における日本関係船舶の安全確保のための派遣だと言いながら、直接日本関係船舶を護衛することはせず、「情報収集」だけを行う点である。日本政府は、その理由を、直ちに日本関係船舶の防護が必要な状況ではないからだと説明する。閉会中審査でも、河野太郎防衛相は「湾岸諸国が日本の船舶を特定して攻撃してくる状況ではない」「自衛隊が武力紛争に巻き込まれる危険があるとは考えていない」などとくり返した。

日本関係船舶が攻撃される危険がないのに、なぜ派遣するのか。これについては「緊張が高まっているから」と説明するが、どうも腑に落ちない。

●本質は「日米同盟のための派遣」

確かに、今回自衛隊が活動する海域（オマーン湾、アラビア海北部、バベルマンデブ海峡東側の公海）は、二〇〇九年に海賊対処のためにソマリア沖・アデン湾に自衛隊を派遣した時のように、民間船舶が常時攻撃の危険にさらされている状況ではない。あの時は年間一〇〇件以上の海賊被害が発生し、日本国籍のタンカーもRPG（ロケットランチャー）で攻撃されるなどの被害を受けていた。しかし、今回は、昨年（二〇一九年）五～六月にオマーン湾でタンカーが何者かに攻撃される事案が相次いだが、それ以降は攻撃は発生していない。

「朝日新聞」（二〇二〇年一月一三日朝刊）は、昨年六月にトランプ大統領が「（ホルムズ）海峡から中国は91％を、日本は62％の石油を運んでいる。なのになぜ、見返りもなしに我々が他国の海上輸送路を守らなければならないのか」とツイッターに書き込んだのが、日本政府が自衛隊の中東派遣の検討を開始するきっかけになったと報じている。

このことが示しているように、日本関係船舶が攻撃を受ける危険がないにもかかわらず自衛隊を派遣する最大の理由は、アメリカへの配慮だ。

では、アメリカが有志連合（注）を組織してイランの目前で軍事作戦を始めたのは、トランプ大統領が言うように「他国の海上輸送路」を守るためなのだろうか。

そもそも、この地域の緊張が高まったのは、二〇一八年五月にイランとの核合意からアメリカが一方的に離脱したのが原因である。アメリカとイランとの間では緊張が高まっているが、中国とイラン、日本とイランとの間で緊張が高まっているわけではない。トランプ大統領が言う、中国や日本など他国の海上輸送路を守るための作戦という主張は成り立たない。

では、何のための有志連合の作戦なのか。

考えられるのは、イランに対する軍事的包囲網の構築だ。アメリカは、イランを「新たな合意」に向けた交渉のテーブルに着かせるために、「最大限の圧力」をかけると公言している。

今回の有志連合の作戦も、イランとの対立に同盟国なども引き入れ、一緒になってイランに軍事的圧力をかけるというのが、真の目的なのではないか。

それに対して日本は、イランとの伝統的な友好関係に配慮して有志連合への参加は見送る一方で、同盟国アメリカからの協力要請に「何もしないわけにはいかない」という判断から独自に自衛隊を派遣することとした。そして、有志連合に加わらずに最も有志連合の活動に貢献できる方法を検討した結果、「情報収集」を行うことにした可能性が高い。

特に、洋上の広い範囲を監視できる哨戒機（しょうかいき）は船舶護衛作戦に不可欠のアセット（装備）であり、ソマリア沖・アデン湾でも自衛隊のＰ３Ｃ哨戒機による警戒監視活動は、アメリカはじめ同海域で海賊対処活動などを行う国々から高く評価されている。今回も、有志連合には参加しないが、船舶護衛活動を行う有志連合の目となり耳となって同盟国アメリカに貢献しようという思惑があるのではないか。

実際、バーレーンに置かれている米海軍第五艦隊の司令部に自衛隊のＬＯ（連絡幹部）を常駐させ、自衛隊が収集した情報は有志連合とも共有するという。つまり、形式的には有志連合に加わらなくても、実質的には一体化して作戦を行うことになる。

日本政府が「日本関係船舶の安全確保のため」と説明する今回の自衛隊派遣だが、その内実は「日米同盟のための派遣」というのが私の見立てである。

●在日米軍は日本を守っているのか？

私がＳＮＳに「今回の中東への自衛隊派遣は日米同盟のための派遣だ」と批判的な投稿をしたら、ある人から「米軍なしに日本の国防は成立しませんから、名目はどうであれ協力せざるを得ませんよ」というリプライがあった。この人は、日本の国防が米軍なしには成り立たないことを理由に、名目がどうであろうと米軍が中東で行う作戦に協力しないという選択肢はないと考えているようだ。

しかし、「米軍なしに日本の国防は成立しない」という前提は、そもそも正しいのだろうか。アメリカの国防長官や副大統領を歴任したディック・チェイニー氏は、米議会で次のように証言している。

「米軍が日本にいるのは日本を防衛するためではない。米軍にとって日本駐留の利点は、必要とあれば常に出撃できる前方基地として使用できることである。（中略）極東に駐留する米海軍は、米国本土から出撃するより安いコストで配備されている」

（一九九二年三月五日、米下院軍事委員会）

さらに、自衛隊統合幕僚会議事務局長や自衛艦隊司令官などを歴任した香田洋二氏（元海将）も、外務省が発行する外交専門誌に寄せた論稿の中で、日米同盟の性格について明快に述べている。

「日本防衛の任務を専ら自衛隊が担うため、その任務から解放された米軍は、米国の世界戦略を唯一直接支える米国の重要なツールとなっていることから、日米同盟は、日本海から中東まで世界のホットスポットに米軍を展開させる際に不可欠な重要拠点となっています」

（「外交」Ｖｏｌ．45、二〇一七年九／一〇月）

この二つの証言が示しているのは、アメリカは日本を守るために米軍を日本に配備しているのではないという事実である。日本防衛を担っているのは専ら自衛隊で、在日米軍の役割は、いつでもアジアや中東に展開できるように備え、実際にこれらの地域での作戦に参加し、それを支援することにある――これこそが日米同盟の本当の姿である。

日本の国防は米軍なしに成立しないから、どんな名目であれアメリカが主導する有志連合の活動に協力しなければならないというロジックは成り立たない。

●自衛隊海外派遣の「起源」

実は、日米同盟のために自衛隊を海外派遣するというのは今に始まった話ではない。その「起源」は一九八〇年代までさかのぼる。

アメリカは、一九六〇年に現行の日米安保条約を締結してからしばらくは、まずは日本が自力で防衛できる力を身につけ、在日米軍が日本防衛を気にせず世界に出ていけるような状態を作り出すことに注力した。

そして、実際に日本がその力を身につけると、今度は自衛隊の活動範囲を日本の国外に広げることを求めるようになった。

最初の具体的な要求は、一九七〇年代後半の「シーレーン防衛」であった。日本政府は、食糧やエネルギー資源の多くを輸入に頼る日本は海上交通路を自ら守らなければならないとして、自衛隊の防衛範囲を「フィリピン以北、グアム以西」の公海まで拡大した。

しかし、アメリカが日本に要求していた「シーレーン防衛」とは、日本の民間商船の海上交通路の防衛ではなく、主に米軍のSLOC（有事の際に作戦遂行のために確保しなければならない海上補給線）の防衛だった。アメリカには、自衛隊がこの海域の防衛を担ってくれれば、日本を拠点とする米第七艦隊の戦力をソ連がプレゼンスを強めつつあったインド洋やペルシャ湾に振り向けられるという思惑があった。「シーレーン防衛」の本質は、アメリカに対する軍事的貢献だったのだ。

さらに、一九八〇年代にイラン・イラク戦争が勃発すると、今度はペルシャ湾・ホルムズ海峡への自衛隊派遣をアメリカは日本に求めた。

アメリカが要求したのは、イランが敷設した機雷を除去する掃海部隊の派遣であった。当時の中曽根康弘首相は、公海上に遺棄された機雷の除去は憲法九条が禁じる武力行使には当たらないという憲法解釈を示しつつ、「国際紛争の場所に今なっておる、そういう場所に日本の自衛隊をはるばる派遣して、そしてそこに巻き込まれるようなおそれのある場所に行くことは必ずしも適当でない」（一九八七年八月二七日、衆議院内閣委員会）として派遣しなかった。自衛隊の派遣がイランの反発を招き、自衛隊の掃海艇がイランから攻撃を受ける可能性を考慮しての政治判断であった。

ちなみに、タンカー護衛のためにペルシャ湾に展開した米軍とイラン軍との間では交戦がたびたび発生した。一九八八年四月には、護衛活動中の米フリゲート艦がイランの機雷に触れて損傷を受けたのに対して、米軍は機雷敷設に使われているとしてイランの海上オイル・プラットホームに報復攻撃を加えて破壊した（「プレイング・マンティス作戦」）。この作戦で米軍とイラン軍との間で戦闘が起こり、イラン軍は二隻の艦船と六隻の高速艇がミサイルやクラスター弾などによって撃沈された。

もし、このような状況の中で自衛隊を派遣していたら、中曽根首相が懸念したように自衛隊も紛争に巻き込まれていたかもしれない。

●戦争が勃発すれば〝参戦〟も

イラン・イラク戦争は一九八八年に終わったが、二年後の一九九〇年、今度はイラクがクウェートに侵攻。イラク軍をクウェートから排除するために国連安保理決議に基づいて多国籍軍が編成され、翌年一月に湾岸戦争が勃発する。この時もアメリカは、当時のブッシュ(父)大統領が海部俊樹(かいふとしき)首相に「一緒に汗をかいてくれ。それが日米同盟をもっと強固にする」と言って自衛隊派遣を迫った。

海部は、戦争中の派遣は憲法九条を理由に断ったが、戦争終結後の四月、自衛隊法の「機雷等の除去」を根拠に海上自衛隊の掃海艇をペルシャ湾に派遣。これが、実任務としては、一九五四年の自衛隊創立以来初めての海外派遣となった。

ペルシャ湾への掃海艇派遣を契機にして、自衛隊の海外派遣は拡大の一途をたどっていく。国連平和維持活動(PKO)への参加に始まり、二〇〇〇年代に入ると、アフガニスタンとイラクで戦争中の米軍を後方支援するために自衛隊を相次いで派遣した。二〇一五年には安全保障関連法が成立し、海外での武力行使が認められる集団的自衛権行使をはじめ、自衛隊の海外での任務が大幅に拡大された。

そして、今回の中東派遣である。可能性は低いだろうが、今後もしアメリカとイランとの間で戦争が勃発した場合、アメリカは間違いなく日本に協力を求めてくるだろう。安倍首相は、国会で集団的自衛権の行使が可能となるケースを問われた時、一例として「ホルムズ海峡に機雷が敷設された場合」を挙げた。仮にこのような事態が起これば、アメリカの求めに応じ、集団的自衛権を行使して自衛隊を〝参戦〟させるかもしれない。

在日米軍が、日本防衛の任務から解放され、アジア・中東にいつでも軍事介入ができる態勢をとることでアメリカの世界戦略を支えていることはすでに述べたが、「専守防衛」をアイデンティティにしてきたはずの自衛隊もまた、アメリカの世界戦略を支える米軍の「補完部隊」としての性格を強めつつある。

このままアメリカと軍事的に一体化していく道を進んでいけば、アメリカの戦争に巻き込まれる危険性は確実に高まっていくだろう。

●「力による平和」の危うさ

たとえ在日米軍が日本防衛のために存在していなくても、そこにいるだけで抑止力になると言う人もいる。世界最強の軍事力を誇る米軍が日本に駐留し、いつでも出撃できる態勢をとっていることで、それが抑止力となってアジアや世界の平和が保たれるという考え方だ。

しかし、その世界最強の米軍をもってしても、アフガニスタンやイラクでは反米武装勢力による攻撃を抑止できていない。トランプ大統領は、その攻撃を止めるためと言ってイラクの反米武装勢力の背後にいるとみられるイラン革命防衛隊の将軍を空爆によって殺害したが、イランの反撃は抑止できなかった。幸いにも、アメリカとイラン双方の自制的な対応によりさらなるエスカレートは回避されたが、反米武装勢力によるものとみられる米軍への攻撃はその後も続いている。

アメリカは北朝鮮との緊張が高まった二〇一七年にも、北朝鮮の指導部を武力で排除する作戦(「斬首作戦」と呼ばれている)をオプションの一つとして検討したという。仮にこれを実行していたら、北朝鮮はどういう反応をしただろうか。今回のイランのように、全面戦争へのエスカレートを回避するために人的被害の出ない反撃にとどめるという保証はどこにもない。

北朝鮮は、アメリカが先制攻撃をしてきたら、米軍基地のある日本も反撃の目標とすると明言している。国際法上も、交戦国への作戦基地の提供は武力行使と一体とみなされ、攻撃されても文句は言えない。抑止が成功すればよいが、失敗したら、最悪の場合、核弾頭付きのミサイルが私たちの頭上に飛んでくるかもしれないのだ。

＊＊＊

二〇二〇年に入ってからの中東の危機で、多くの人が「力による平和」の危うさを実感したのではないだろうか。私も、パワーバランスによって保たれる平和が存在することを否定はしない。しかし、それはちょっとしたミスや誤解で壊れてしまう「薄氷の上の平和」だ。軍事力とそれに基づく抑止力を信奉し、依存し過ぎるのは危うい。

ＡＳＥＡＮ（東南アジア諸国連合）は二〇一九年六月の首脳会議で、独自の外交戦略「インド太平洋構想」を採択した。今後、激化が予想されるアメリカと中国のパワーゲームに懸念を表明し、ＡＳＥＡＮが「誠実な仲介者」になり「競合ではなく対話と協力のインド太平洋地域」の創出を目指すとうたっている。

大国による「力による平和」を、多国間の「対話と協力による平和」に置き換えていこうとする試みで、日本のこれからの安全保障を考える上でも、大事な視点だと思う。日米同盟一辺倒でアメリカに追随するだけでは、「誠実な仲介者」にはなれない。

日米同盟とて永遠の存在ではない。二〇二〇年一月一九日、現行の日米安保条約は署名から六〇年を迎えた。この節目を、アメリカとの関係を冷静に見つめなおす契機としたい。

注

有志連合／二〇一九年一一月にアメリカ主導で発足した多国籍部隊。中東のホルムズ海峡周辺などで船舶の護衛や海上の監視等を行う。二〇二〇年一月時点でアメリカ、イギリス、オーストラリア、バーレーン、サウジアラビア、アラブ首長国連邦、アルバニアの七カ国が参加している。

二〇二〇年二月一四日　公開

超大型台風被害から考える、これからの防災対策

気象予報士　饒村（にょうむら）曜
構成・文　山田久美

二〇一九年九月には台風一五号が、一〇月には台風一九号が立て続けに日本を直撃し、各地に甚大な被害をもたらした。地球温暖化による異常気象を原因とする「観測史上まれに見る超大型台風」と言われているが、果たしてこれは正しい認識なのだろうか。今後、日本はさらなる超大型台風に見舞われることになるのだろうか。

●地球温暖化が超大型台風の〝犯人〟なのか？

二〇一九年秋に発生した「令和元年台風第一五号」と「令和元年台風第一九号」は、「記録的な暴風の台風」「観測史上まれに見る超大型台風」などと騒がれました。地球温暖化による

異常気象が原因ではないかと報じられています。しかし、実はこれまでにも、同程度の規模の台風は多数、発生しています。例えば、一九五八年九月に神奈川県に上陸した「狩野川（かのがわ）台風」もその一つで、台風一九号のように伊豆半島と関東地方などに大水害をもたらしました。

気象報道を見ていると、よく「観測史上初」という言葉を耳にしますが、日本における台風の観測史の始まりは、明確に一九五一年と定められています。理由は、発生件数や規模など台風に関する観測データをきちんと記録、整備し始めたのが一九五一年だからです。それ以前の正確な観測データは残っていません。

また、雨量に関する詳細な観測データが蓄積されるようになったのは、自動気象観測システム「アメダス」が運用を開始した一九七四年以降です。さらに気象衛星「ひまわり」が運用を開始し、海上における台風の衛星画像などを取得できるようになったのは一九七七年の打ち上げから一年後のことです。

一方、気候変動は、一〇〇〜二〇〇〇年単位で起こるものです。そのため、近年の台風が本当に「異常気象」なのか否かは、一〇〇年単位で考えなければ判断できません。しかしながら、気象に関する観測データはまだ五〇〜六〇年分しか蓄積がなく、異常気象と判断するには圧倒的にデータ量が足りていないのです。

したがって私は、地球温暖化は、超大型台風による大災害をもたらした〝容疑者〟ではあるけれども、証拠は十分とは言えず、〝犯人〟であるとは断定できないと考えています。

●生活の変化に伴い被害の形態も変化

ただし、確実に言えることがあります。それは、近年、海水面の温度上昇により、台風が勢力を保ったまま日本に接近してきているということです。台風は温かい海面から供給される水蒸気をエネルギーにして勢力を維持します。

本来であれば、発生地点（熱帯〜亜熱帯）から日本に近づくにつれて海水面の温度が下がり、勢力が衰えるものなのですが、例えば台風一五号が上陸した二〇一九年九月は、関東沿岸部まで二七度前後という高温が保たれていました。

日本近海の海水温は、過去一〇〇年で一度以上上昇しており、今後もその傾向が続くと予想されています。二〇二〇年以降も、「非常に強い」台風が日本に接近・上陸することは容易に起こりうると言っていいでしょう。

そして台風の勢力が強いまま接近してくることに加え、五〇年前、一〇〇年前と比べて我々の生活は大きく変化し、それに伴って被害の形態も大きく変化しました。極端なことを言えば、電気がなかった時代には「停電」という被害が生じることもありません。しかし、現代生活では電気はもはや欠かすことのできないインフラです。事実、一五号のときの千葉県では、停電によって市民生活に多様かつ多大な被害が出ました。このように、被害の形態は私たちの生活と密接に関係しているのです。

それでは、近年、私たちの生活がどのように変化し、それがどのような被害としてあらわれるようになったのかをみていきましょう。具体的には大きく分けて、「ネットワーク化」「高齢化」「過疎化」「都市化」の四つの要因が挙げられます。

●台風一五号と「ネットワーク化」

まず、「ネットワーク化」に伴う変化とは、ごく限られた地域で発生した災害が、広い地域に影響を及ぼすようになったということです。例えば、ある地域を台風が直撃し、車の部品工場が生産停止に陥ったとします。すると、その部品を使っている自動車メーカーまで、被災していないにもかかわらず、生産ができなくなります。また、首都圏では鉄道の相互乗り入れが進んでいます。それにより、ごく一部の路線が豪雨や突風で運休を余儀なくされると、その影響が全線に及び、大混雑を引き起こします。ネットワーク化によって私たちの日常生活の利便性は向上しましたが、その一部が機能しなくなることで、ネットワーク全体が機能しなくなるのです。

ネットワーク化に伴う災害の最たるものは、先にも挙げた台風一五号の後に千葉県広域を襲った停電被害です。まず強風によって送電網が壊滅しました。この事態に直面した行政や東京電力の対応は鈍かったと言わざるを得ません。東京電力による復旧の見通しは発表のたびに先送りされる一方で、実際、県内山間部では、木々や電柱が倒れて復旧用の車両が通れず、住民のところまでたどり着けない、という事例が多発しました。

復旧を待つ間に、さまざまな予備電源も尽きていきました。特に、携帯基地局などでは通信インフラ用に予備電源を設置しているところも少なくありませんが、停電が長期間にわたったところでは、台風直撃から数日後に、それまで使えていたインターネットなどの通信機能が使えなくなり、突然、情報が遮断されることになったのです。水道や医療施設の予備電源も同様でした。

個人が災害に備える場合、一般的には、最低でも電源は一日分、食料や水などは二日分を用意しておけば、支援までつなげることができると言われています。しかし、一五号後の千葉県では停電が長期化し、自衛隊による出動や支援も遅れました。この原因は、東京電力の見通しが甘過ぎたからだと、私は考えています。東京電力は、復旧の目途について、きちんと「わからない」と伝えるべきでした。気象予報の世界では、「わからない」という宣言は、情報として非常に重要視されています。専門家がわからないと言えば、政府や行政は事態を確認するために自ら動き出しますし、人々は新たな情報に耳を傾けるようになるからです。もし東京電力が千葉の停電被害の状況を把握できていないのだと発表していれば、自衛隊などの出動も早まったのではないでしょうか。

●台風一九号と「高齢化」「過疎化」「都市化」

二〇一九年の台風による被害において特に目立った問題点が「高齢化」でした。独自に調査してみた結果、台風一九号では、死者の四分の三が六〇歳以上で、六〇代と七〇代が突出していることがわかりました。このうち約三分の二が男性で、主な理由は、自家用車で家族を迎えに行く途中、車ごと濁流に飲み込まれたというものでした。一九号が接近してきた夕方から夜にかけての時間帯に家にいて、孫の迎えを頼まれたのが、この年代の男性だったのではないかと考えられます。これは「過疎化」とも重なっています。公共交通の乏しい地域では、避難の際にも自家用車を使う人が多く、それにより亡くなられたケースも多かったようです。

一方、都市部では、「都市化」により、「内水氾濫（ないすい）」が多発しています。これは、豪雨によって雨水処理が追いつかなくなり、市街地にあふれ出て、建物や土地、道路などが浸水・冠水してしまうという水害です。また、高層ビルやタワーマンションの多くは、重量のある電源設備を地下に設置しているため、台風一九号では、浸水により電源設備が水没し、大規模停電と停電に伴う断水が発生しました。

ここからは、これら現代型の災害に対し、私たちはどのような防災手段を講じるべきなのか、考えていきましょう。

●防災スキル①浸水被害には「垂直避難」！

まず、浸水被害に対しては、私は、「垂直避難」を推奨しています。垂直避難とは、遠くの場所に避難する「水平避難」とは異なり、現在地点から離れずに、家の二階や三階、近くのビルの屋上などできるだけ高い場所に移動することです。

一九四七年九月に発生した「カスリーン台風」では、利根川や荒川などの堤防が決壊したことで流域が広く浸水し、特に河口に近い東京都東部では葛飾区、江戸川区、足立区の三区が甚大な浸水被害を受けました。そのため、今回の台風でも、海抜ゼロメートル地帯に位置する足立区などでは、一時、全域に避難勧告が出されました。しかし、実際には、電車の計画運休などにより、遠方に逃げることができないケースもあります。このような場合は、できるだけ高い場所に垂直避難することが有効です。

これは過疎地でも同様で、台風が接近してから車で水平避難を試みても間に合わず、亡くなられた方がいることはすでに述べたとおりです。水平避難をするならば、風雨が強まる前にできる限り早く、浸水が始まったならば、遠くの避難所ではなく、少しでも高いところを目指してください。

ただし、ビルの上階への避難については、日常的な防犯の観点からも、不審者と避難者が分けられるように、予め（あらかじ）ルールを決めておくことが不可欠です。例えば、和歌山県などでは、津波が発生した際、誰でもが近くのビルの屋上に避難できるように、外階段を設置した場合、それに対して、補助金を出しています。外階段を設置することで、ビル内に知らない人が侵入するのを防ぐことができます。外階段がなくとも、学校などが近隣のビルと協定を結び、万が一の際には、生徒をビルの屋上に避難させるようにしてもよいでしょう。

また、東京、大阪、名古屋などの大都市は、すべて沿岸部の低い土地にあります。その方が交通の便が良いため、物流も発達しやすく、生活しやすいからという理由で歴史的に発展してきたのです。反面、これらの土地は水害のリスクが高いという短所も持っています。とはいえ、日常生活における利便性は捨てがたいものがありますから、いつかは水害が起こるとわきまえ、常日頃から避難場所などを知り、備えておくことが大切です。

●防災スキル②自分自身の「防災袋」を用意しよう

さて、避難には、「一次避難」「二次避難」があります。命を守るため、まずは、緊急避難所やビルの屋上などに避難することを一次避難といい、被災後、復旧までの間の避難を二次避難といいます。台風ならば数日で済む一次避難とは異なり、二次避難は長期間に及ぶことが多くなるでしょう。そのため、災害時に備えて、実家や親戚の家など二次避難の場所を予め決めておくことをお勧めします。

また、一次避難の際、すぐに持ち出すことができる「防災袋」の用意も怠ってはいけません。緊急時、大荷物を持って避難することはできません。防災袋の中に入れられるものは限られます。そこで、私は、「これがないと一日たりとも我慢できない」という感覚を判断基準にすることを勧めています。例えば、乳幼児の場合は粉ミルクや液体ミルクがなければ生きていられません。持病のある方であれば、薬が不可欠です。視力の弱い方は、メガネがないと生活できません。また、甘党で「甘いものがないとイライラしてしまう」という人であれば、甘いお菓子は必須となるでしょう。要するに、市販の防災袋をそのまま使うのではなく、自分の基準で自分だけの防災袋を作っておくのです。

ある幼稚園では、子どもたち自身に防災袋を作らせていました。大好きなおもちゃや、これが傍(そば)にないと眠れないといったぬいぐるみなど、いざというときにどうしても持って逃げたいものを自分たちに選ばせるのです。

逆に、市販の防災袋の中に入っているものは、食料、水、簡易トイレなど、災害時、真っ先に救援物資として運ばれるものが多いため、当座必要な量さえ持てば、大量に防災袋に入れておく必要はありません。

私の場合、いざというときのために、九〇代の両親に携帯電話を渡しています。普段、両親は、携帯電話を持ち歩くことはなく、使い方も知りません。しかし、災害時には、私の携帯電話の番号を書いたメモと一緒に防災袋の中に入れて持ち出してもらうようにしています。それにより、避難先などで、周囲の人に両親に代わって連絡をお願いすることができるというわけです。

「いつ自分が被災するかわからない」ということを肝に銘じ、万が一の場合には、すぐに防災袋を持って避難できるように用意しておくことが重要です。

●防災スキル③自分が住んでいる地域を知ろう

また、防災対策の第一歩として、まずは、自分が現在、住んでいる土地の歴史を自分で調べるということも大切です。国土地理院では、明治時代の地図なども公開しています。明治政府は、「国家の基本は地図である」と考え、近代国家を作る際、地図の整備から始めました。そのため、約一〇〇年前の古地図などが結構残っているのです。それを見れば、現在、自分が住んでいる土地が、以前はどのような場所だったのかがわかり、水害の潜在リスクなどを知る大きな手がかりになります。

ちなみに、私がよく感じることは、家の購入は人生における最大のイベントの一つであるにもかかわらず、その土地に関する情報を、自分で調べる人が少ないということです。物件が「割安」「お得」だと感じたら、何か事情があるかもしれないということを、よく覚えておきましょう。

例えば台風一九号で甚大な被害を出した神奈川県の武蔵小杉駅とその周辺は、平地であり、数多くの路線を利用することもできる、平常時であれば非常に便利な住宅街です。しかし古地図を見ればすぐわかるのですが、ここはかつて多摩川の流路で、開発前は沼地だったのです。家を売りたいデベロッパーを信じすぎず、自分たちで確かめることを忘れてはいけません。

自分が住む地域について知るためには、学校での防災教育も非常に重要です。ここで、私自身がお勧めする防災教育を紹介しましょう。それは、子どもたちに、通学路を中心に、周辺地域に危険な場所がないかどうかを調べさせ、その結果を基に、防災マップを作らせるというものです。それにより、いざというときに、迅速かつ適切な行動を取ることができます。また、和歌山県のある中学校では、「海抜○○メートル」というプレートの設置を手伝う取り組みを行っていると聞きました。それだけで、子どもたちの防災に対する意識が高まります。社会科や地理の授業でも、防災の話題をどんどん取り入れ、家庭にフィードバックしていけるようになっていってほしいと思います。

●防災スキル④ハイテクとローテクの組み合わせで災害を乗り越えよう

これら事前の備えのほか、災害時には、情報リテラシーがとても重要になります。インターネット上には、気象庁や国土交通省などによる最新情報や詳細情報が、随時アップされます。携帯電話やスマートフォンを使ってインターネットにアクセスできる人にとっては利便性が高いサービスですが、インターネットを使うことができない高齢者などには、その情報は届きません。そのための対応策として、私は、家族やコミュニティの中で、得意な人が苦手な人をサポートすることを推奨しています。例えば、お孫さんが祖父母に安否確認をかねて、電話して情報を伝えてあげることなどです。これには別の効果もあります。億劫(おっくう)がって避難しようか迷っている場合でも、孫に「危ないから」と背中を押されれば避難してくれるかもしれません。

また、ハイテクを駆使してインターネット上から最新情報を収集してくることも重要ですが、ローテクも重要です。例えば、電源設備が乏しい避難所などでは、壁新聞が最も有効な情報伝達手段となります。自分が知っている情報を壁新聞に書き込んでいき、周囲の方々と情報を共有するのです。

また、オール電化の家庭では、停電に備えて、ロウソクやガスコンロ、ガスボンベを用意しておくことも重要です。断水の際にも、雨水などを煮沸すれば、飲料水として使えます。このように、テクノロジーのみに頼るのは危険であり、ハイテクとローテクの両方を補完的に組み合わせることがポイントです。

「ついで防災」も重要なスキルです。これは、何かのついでに災害に備えるということです。例えば、キャンプ用のアウトドア用品はほとんどが防災に使えます。テントは避難所で、炭やガスは炊き出しに、といった具合です。ただし、持っているだけで、いざというとき使い方がわからないのでは意味がありませんし、炭やガスが足りない！ということになってもいけません。家族や友人とキャンプに行って、テントの組み立て方、炭のおこし方を何度も確認して身に付け、さらに、バーベキューセットなどは使い終わったらきれいに整備しておくこと、そして、消耗品は必ず新品を補充しておくことが大切です。

「ついで防災」のよいところは、使い慣れているので、緊急時にも慌てずに済むという点です。また、いかにも防災グッズといったものでなく、おしゃれなデザインのものを選ぶことで、普段使いを楽しんでもよいでしょう。生活の中で、遊びの中で、防災のスキルを磨けるのです。


最後に、「知恵の備蓄」についてもお話ししましょう。私は、被災によるさまざまな経験に基づき得た知恵をためておくことを、「知恵の備蓄」と呼んでいます。ここまで述べてきたような「知恵」は、すべて体験や経験を通して得たものであるため、いざというとき、必ず役立ちます。さらに、これをより多くの人々と共有することで、災害に備えるのです。

自然災害はいつどこにやってくるかわかりません。自分だけは大丈夫などと決して思うことなく、常日頃から防災対策を怠らないように心がけましょう。

二〇二〇年三月三〇日　公開

福島第一原発の貯まり続ける処理汚染水は、海洋放出するしかないのか？

FoE Japan理事　満田夏花

二〇二〇年二月一〇日、東京電力福島第一原子力発電所で増え続ける、ALPS（多核種除去設備。注1）で処理した放射性物質を含む水の取り扱いについて検討を行っていた「多核種除去設備等処理水の取扱いに関する小委員会」（ALPS小委員会）が報告書を発表した。

報告書は、放射性物質を含む水（以下、処理水）を海洋や大気へ放出することが現実的な選択肢だとし、さらに「放出設備の取扱いの容易さ、モニタリングのあり方も含めて、海洋放出の方が確実に実施できる」と強調している。二〇二二年夏にはタンクが満杯になる見込みで、政府は準備期間を二年とみて、地元の意見を聞いた上で二〇二〇年の夏までに判断するとしている。

しかし、処理水の取り扱いについては、陸上に大型タンクを建設し保管する十分現実的な「大型タンク貯留案」や「モルタル固化案」が提案されているのにもかかわらず、それらはALPS小委員会ではほとんど検討されないまま、報告書は公開された。

●約八六〇兆ベクレルのトリチウムが放出

福島第一原発の敷地では、燃料デブリ（注2）の冷却水と原子炉建屋およびタービン建屋内に流入した地下水が混ざり合うことで発生した汚染水をALPSで処理し、タンクに貯蔵している（図1）。タンクはすでに九七九基で、貯蔵されている処理水は一一九万立方メートル以上となった（二〇年三月一二日現在）。

貯蔵されている処理水に含まれるトリチウム（注3）の総量は推定八六〇兆ベクレル。これは事故の前の年の二〇一〇年に福島第一原発から海洋に放出されていたトリチウム（約二・二兆ベクレル）の約三九〇倍である。原子力施設の年間の排出目標値は施設ごとに定められており、事故前の福島第一原発の場合、年間二二兆ベクレル。仮にこの目標値を守るとすると、八六〇兆ベクレルのトリチウムを放出するためには数十年かかることになる。

経済産業省は、トリチウムは世界各地の原発で海洋放出されていることを強調し、トリチウ

［図1］汚染水発生のメカニズムとALPS処理水

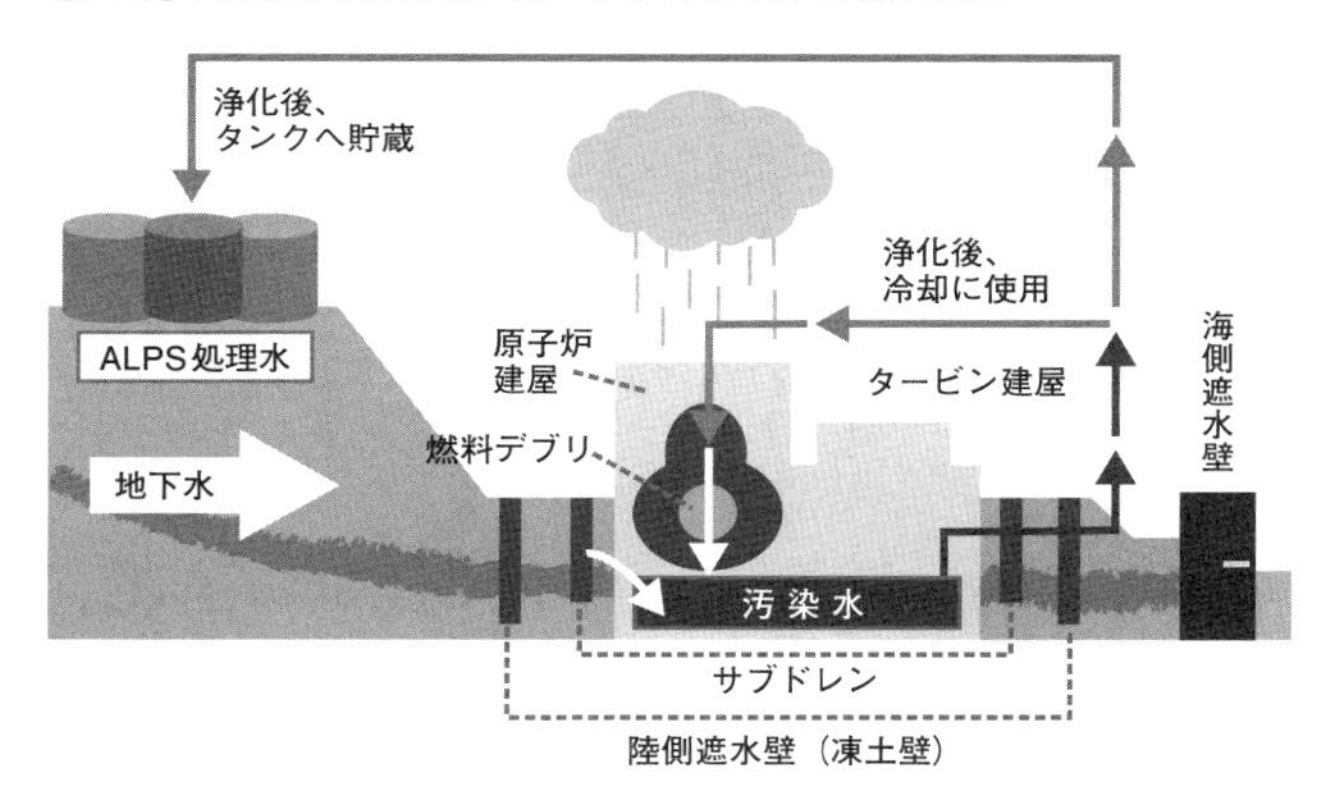

「多核種除去設備等処理水の取扱いに関する小委員会　報告書」（2020年2月10日）をもとにイミダス編集部が作成

ムの健康への影響はほとんどない、という趣旨の説明を繰り返している。

確かにトリチウムは各地の原発や再処理施設から大量に放出されている。

しかし、トリチウムの健康への影響は専門家の間でも意見が分かれている。

トリチウムが有機化合物を構成する水素と置き換わり、それが生物の細胞に取り込まれた場合、食物連鎖の中で濃縮が生じうること、またトリチウムが人体を構成する水素と置き換わったときには、近隣の細胞に影響を与えること、トリチウムがＤＮＡを構成する水素と置き換わった場合、ＤＮＡが破損する影響などが起こりうることなどが指摘されている。

●ヨウ素129、ルテニウム106、ストロンチウム90などが基準値超え

また、貯蔵されている処理水の約七割で、トリチウム以外の六二の放射性核種の濃度が総合的に勘案すると排出基準を上回って(注4)おり、最大基準の二万倍となっている。基準値超えしているのは、ヨウ素129、ルテニウム106、ストロンチウム90などだ。東京電力(以下、東電)は海洋放出する場合は二次処理を行い、これらの放射性核種も基準値以下にするとしている。

しかし、こういったトリチウム以外の核種が基準値超えしていることが明らかになったのは、共同通信などメディアのスクープによるものだ。それまで東電がALPS小委員会に提出していた資料では、他の核種はALPSにより除去できていることになっていた。このことが引き起こした東電への不信感は大きい。

●四四人中、四二人が海洋放出に反対

経済産業省は、この処理水の処分に関する説明・公聴会を二〇一八年八月三〇日、三一日に福島県の富岡町(とみおかまち)、郡山市、東京都で開催した。

三会場で実施された公聴会では、意見陳述人四四人中、四二人が明確に海洋放出に反対。と

［図2］福島第一原発構内配置図

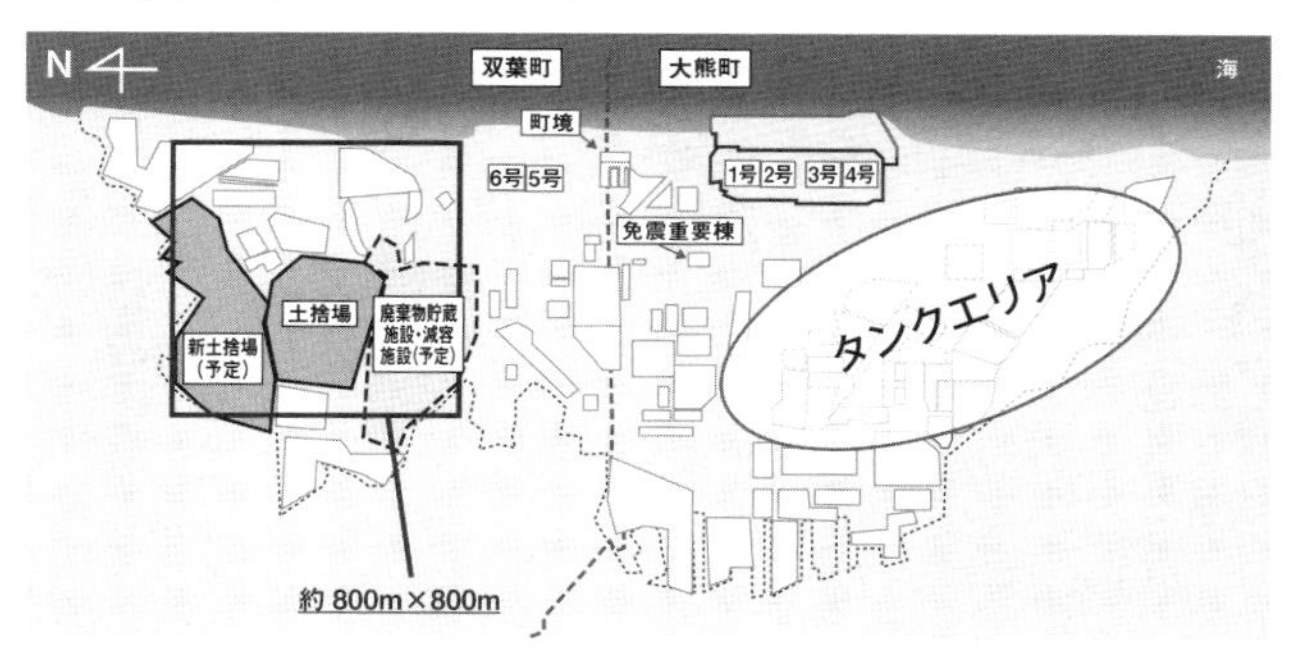

川井康郎氏（原子力市民委員会）講演資料、経済産業省資源エネルギー庁HPの「安全・安心を第一に取り組む、福島の“汚染水”対策⑤ALPS処理水の貯蔵の今とこれから」をもとにイミダス編集部が作成

りわけ、福島県漁連の野崎哲会長や新地町(しんちまち)に住む小野春雄さんなど漁業関係者が切々と、いままで少しずつ回復させてきた漁業に壊滅的な影響が出ることを訴えた。また、多くの人がトリチウムの危険性を指摘し、タンクで長期陸上保管すべきと述べた。

公聴会終了後、経済産業省のＡＬＰＳ小委員会の山本一良委員長は、「代替案に『陸上保管案』も加える」と発言。しかし、実際には、陸上保管案をめぐる議論はほとんどなされなかった。

●大型タンク貯留案

陸上保管案については、プラント技術者も多く参加する民間のシンクタンク「原子力市民委員会」が、「大型タンク貯留案」、「モルタル固化案」を提案し、経済産業省に提出した。

このうち、「大型タンク貯留案」は、ドーム型屋根、水封ベント付きの一〇万立方メートルの大型タンクを建設する案だ。建設場所としては、福島第一原発の敷地内の七、八号機建設予定地、土捨て場、敷地後背地等から、地元の了解を得て選択することを提案。八〇〇メートル×八〇〇メートルの敷地に二〇基のタンクを建設し、既存タンク敷地も順次大型に置き換えることで、新たに発生する処理水約四八年分の貯留が可能になる（図2・一九九ページ）。

東電は大型タンク貯留に関して、「敷地利用効率は標準タンクと大差ない」「雨水混入の可能性がある」「破損した場合の漏えい量大」といった点をデメリットとして挙げた。これに対する質疑や議論はALPS小委員会では行われていない。それにもかかわらず、ALPS小委員会の報告書には、この東電の説明がそのまま使われている。

大型タンクは、石油備蓄などに使われており、多くの実績を持つことは周知の事実だ。また、ドーム型を採用すれば、雨水混入の心配はない。大型タンクの提案には、防液堤（注5）の設置も含まれている。

もう一つの「モルタル固化案」とはどういうものだろうか。

元プラント技術者で、この案のとりまとめ作業を行った前述の原子力市民委員会の川井康郎さんは以下のように説明する。

「モルタル固化案は、アメリカのサバンナリバー核施設の汚染水処分でも用いられた手法で、処理水をセメントと砂でモルタル化し、半地下の状態で処分するというもの。利点としては、放射性物質の海洋流出リスクを半永久的に遮断できることです。ただし、セメントや砂を混ぜるため、容積効率は約四分の一となります。それでも八〇〇メートル×八〇〇メートルの敷地があれば、約一八年分の処理水をモルタル化して保管できます」

●敷地は本当に足りないのか

敷地をめぐる議論も、中途半端なままだ。ＡＬＰＳ小委員会では委員から、「福島第一原発の敷地の利用状況をみると、現在あるタンク容量と同程度のタンクを土捨て場となっている敷地の北側に設置できるのではないか」「敷地が足りないのであれば、福島第一原発の敷地を拡張すればよいのではないか」といった意見が出された。

前述のように原子力市民委員会は、敷地の北側の土捨て場に大型タンクを設置することができれば、今後、約四八年分の処理水を貯めることができると試算している。

問題は、現在土捨て場にためられている土を運び出すことが可能かどうかだが、東電はこの土の汚染状況を「数ベクレル／キログラム～数千ベクレル／キログラム」と説明している。これは現在、福島各地の仮置き場にためられている土と同レベルであり、土捨て場から動かせないレベルではない。

タンクを設置する敷地の拡大の可能性については、経済産業省は地元への理解を得るのが難しいとしている。

これに対して、二〇二〇年一月二二日、衆議院議員会館で開催された処理水の処分をめぐる集会にて、大熊町町議の木幡ますみさんは、「大熊町民で『汚染水を流すぐらいだったら自分の土地を使って置いておけばいい』という声が非常に多い」と発言した。

もちろん、地元への説明・理解は不可欠であるが、その努力をまったくせずに、「敷地拡大は困難」という結論を出すことは時期尚早だろう。

なお、東電が示している敷地利用計画は、使用済み核燃料や燃料デブリの一時保管施設（八万一〇〇〇平方メートル）、資機材保管・モックアップ施設（注6）に加え、研究施設など、本当に敷地内に必要なのかよくわからないものも含まれている。また、使用済み核燃料取り出しの計画はつい最近最大五年程度先送りすることが発表されたばかりで、燃料デブリの取り出しについても、処分方法も決まっておらず、このままのスケジュールで取り出すことは現実的ではない。

●「放出ありき」に反発強める漁業者

地元の漁業者は「放出ありき」の議論に、反発を強めている。

「漁業者を何だと思っているんだ、と思う。復興に向けて、せっかくここまできたのに、万が一のことがあったら漁業は壊滅的となる。漁業者や買受人、加工業者等の水産業者が廃業、転業などで去っていくことになりかねない」。小名浜機船底曳網漁業協同組合理事の柳内孝之さんはこう語る。福島県漁連の野崎哲会長も繰り返し反対の意思表示をしている。また、茨城沿海地区漁業協同組合連合会も二〇二〇年二月、処理水を海に放出しないように求める要請を行った。これを受けて、茨城県の大井川和彦知事は、有識者会議報告書の説明に訪れた内閣府担当者に対して「白紙の段階で検討し直してほしい」と述べている。

「朝日新聞」および福島放送が二月下旬に行った世論調査によれば、福島県の有権者のうち、処理水を薄めて海に流すことに五七％が「反対」と答えた。また、福島県の地元紙である「福島民報」は、「本県沖や本県上空が最初、あるいは本県のみが実施場所とされるのは、さらなる風評につながり、絶対に許されず、認められない」（一九年一二月二七日）としている。飯舘村村民で、元酪農家の長谷川健一さんは、「安全だというのならば、東京湾に流すべき」と発言している。しかし、東京湾に流すとなれば、東京の漁業者は反対の声を上げるだろう。

＊＊＊

私は、福島県いわき市の小名浜港や新地町の漁港を訪問し、この件に関して、漁業者の方々からのお話を聞くことができた。彼らの抱いている危機感は強い。共通しているのは、原発事故による打撃からようやく立ち直ろうとしている最中、これ以上、放射性物質を海に流されてしまうことへの拒否感、長期にわたる影響への不安、たびたび反対の声をあげているのにもかかわらず、その声が聞かれないことへの怒りと不信だ。

「東京で消費する電気をつくるための原発が事故をおこし、それによって漁業がいためつけられている。汚染水が安全だというのならば、東京で流せばよい」。そういう声もあった。さらに「これは漁業者たちだけの問題ではない。日本全体の問題だ」という声も聞かれた。

こうした漁業者の切実な想いを私たちは真剣に受け止めるべきではないか。経済産業省は、「地元関係者の意見を聞く」としているが、前述の公聴会のときに漁業者を含む多くの人たちが海洋放出に反対し陸上保管を訴えたのにもかかわらず、結局は無視してしまったのではないか。

「時間切れ」でなし崩し的に、処理水の海洋放出に踏み切るべきではない。これは、漁業に大きな打撃を与え、漁業者の希望をくじくことになる。また、国際的な信頼も失うだろう。将来に大きな禍根を残す。

放射性物質は集中管理が原則である。大型タンクによる陸上保管案、モルタル固化案、敷地拡張案などを早急に検討すべきである。

【付記】その後、経済産業省は、処理水に関する一般からの意見募集（パブリックコメント）を二〇二〇年四月から七月まで行い（結果はまだ公開されていない）、関係団体からの意見聴取を進めた。福島県内の漁業、農業、林業関係団体は放出に反対の意見を表明した。全国漁業協同組合連合会は六月、「処理水の海洋放出に断固反対」との特別決議を全会一致で採択。また、福島県内の二一の自治体議会は、処理水放出「反対」もしくは「慎重に判断を」の意見書を採択した。一方で、大熊・双葉の両町長は、処理水の保管継続に反対の姿勢を示している（二〇二〇年九月現在）。［著者］

注1　ALPS（多核種除去設備）／汚染水からセシウムを含む六二種の放射性物質（トリチウムを除く）の除去が可能とされている設備のこと。

注2　燃料デブリ／事故により原子炉の炉心が過熱し、核燃料や原子炉構造物などが溶融し、冷えて固まったもの。

注3　トリチウム／水素の同位体であり、放射線を出す放射性物質の一つ。原子核が陽子一個、中性子二個から構成され、「三重水素」ともいわれる。自然界では、宇宙線と大気中の窒素と酸素が反応することで発生し主に水として存在しているが、原子力発電

による核分裂でも発生する。半減期は約一二年。

注4　排出基準を上回って／それぞれの核種の濃度を核種ごとの基準値で除し、その和が一を上回っていることを指す。

注5　防液堤／設備・装置から油や薬品等が漏れ出した際に、その設備・装置以外の箇所に漏れ出ていってしまうことを防止するためのフェンスの役割をする堤のこと。

注6　モックアップ施設／廃炉のために造られる原寸大の模型（モックアップ）。

二〇二〇年一月一七日　公開

カジノが日本を食いつぶす！

静岡大学教授　鳥畑与一
構成・文　川喜田研

●誘致合戦に横浜が参戦、IRは本当に「地域経済に資する」のか

二〇一九年八月、横浜市がそれまでの方針をひるがえし、「カジノを含む統合型リゾート（IR）」を誘致すると正式に表明した。横浜市会では二億六〇〇〇万円の関連予算が可決され、市は一一月一日に「IR推進室」を開設。この動きを後押ししようと、横浜商工会議所など地元の九つの経済団体も新たに「IR横浜推進協議会」を設立し「IRの誘致が地元経済の活性化に繋（つな）がる」と期待を寄せている。

だが、IRの誘致をめぐっては、市民の間にギャンブル依存症の増加や、治安の悪化を懸念する声が根強くある。一一月六日には誘致に反対してきた市民グループや議員などが、カジノ誘致の是非を問う市民投票の実施を求めて「カジノの是非を決める横浜市民の会」を設立した。

市がIRの建設候補地としている山下ふ頭に倉庫などを置く、港湾事業者の団体「横浜港運協会」も、ふ頭からの立ち退きに応じない姿勢を見せている。

一八年七月、国会で統合型リゾート整備法（IR実施法）が成立してから一年余り。具体的なIR誘致計画をめぐって横浜で市民を二分する議論が沸き起こる中、今後の論点となるであろうIRの実態と、その誘致による「地元経済の活性化」について検証する。

●賭博は基本的に犯罪なのになぜ、カジノを含むIRは合法なのか？

日本ではそもそも、賭博（ギャンブル）が法律で禁じられている。刑法には賭博罪や賭博場開張図利（とり）罪・博徒結合図利罪などがあり、ギャンブルは基本的に「犯罪」である。しかし、それではなぜ、日本には競馬や競輪、競艇、オートレースなどの「公営ギャンブル」（公営競技）や「宝くじ」が合法的に存在するのだろうか。それは、ふたつの「建前」があるからだ。

ひとつは、これらのギャンブルの実質的な主催者と運営者が、あくまで地方自治体等の「公」であり、「公設公営」という形をとっているという点（ただし、事業を委託するという形で、民間事業者の一部参入が認められており、実質的には「公設民営」と言える）。もうひとつが、その収益が社会に還元されており、「公益性」があるという点である。

この二点を満たすことが従来の日本における賭博の許容ラインであり、例外的な合法性の論拠となってきた。ところが、今回の「カジノを含む統合型リゾート」の構想では、賭博の主体が民間の「カジノ事業者」となる。従来の「公設公営」という基準を、「民設民営」にまで下げることを意味していると言っていいだろう。

ではなぜ、今回、民設民営の「カジノを含むＩＲ」が合法化されたのだろうか？　実を言えば「カジノ解禁」に関しては、今から約二〇年前の一九九九年にも、当時、東京都知事だった石原慎太郎氏の「お台場カジノ構想」をきっかけに合法化の動きがあったのだが、そのときは「公益性が弱い」という理由で実現には至らなかったという経緯がある。

それが一転して、「ＩＲならＯＫ」となったのは「ＩＲはカジノ以外の施設も含めた複合的なリゾートであり、カジノはその一部でしかない」という理屈と、「カジノを含めた大規模な統合型リゾートの誘致は、広く地域経済に資するので公益性がある」という「ＩＲを作りたい側の論理」があったからだ。だが「ＩＲ」におけるカジノは本当に「その一部」でしかないのだろうか？　また、カジノを含むＩＲの誘致は本当に地域経済に資するのだろうか？

●ＩＲの収益構造の主体はあくまでもカジノ

まず、ＩＲとは何か、という点について考えてみたい。ＩＲ実施法に記された「特定複合観光施設」（IR＝カジノを含む統合型リゾート）とは、カジノに加え、国際会議場、見本市会場などのビジネス施設、劇場、シネコン、テーマパーク、スポーツ施設といったレクリエーション施設、ショッピングモール、ホテルといった商業・宿泊施設が一体となった複合施設を指す。アメリカのラスベガスなどがその典型だが、ギャンブルが目的の客だけでなく、家族連れなど老若男女が楽しめる複合エンターテインメント施設の一部としてカジノが存在する、というのがIR誘致に積極的な「カジノ推進派」の論理である。

だが、経済的な側面、すなわちIR全体の利益構造に目を向けると、「カジノはIRの一部にすぎない」という主張とは大きく異なる実態が浮かび上がる。例えば、日本がIRのモデルのひとつとしているシンガポールの場合、確かに、施設面積で見ればIR全体におけるカジノ施設の比率は三％以下であり、「IR実施法」でも「カジノ施設はIR施設全体の床面積の三％以内」とする方針が示されており、「カジノはIRの一部にすぎない」ようにも見える。しかし、その収益を見ると、シンガポールの場合、カジノがIR全体の利益の実に八〇％を稼ぎ出しているのだ。

なぜかと言えば、IR全体で高水準の投資収益率を達成するにはカジノで荒稼ぎするしかないからである。「元祖IR」とも言うべきラスベガスの場合、IR全体の収益に対するカジノの比率は五〇％以下に低下しており、その結果、投資収益率は数％という低水準となってしまっている。こうした実態を考えれば、ＩＲが「カジノの生み出す高収益に依存したビジネスモデル」であることは誰の目にも明らかだろう。

ちなみに、「ＩＲ実施法」に関する議論では「カジノの収益の比率を全体の五割以内に収める」という案があったが、結局、これも採用されなかった。このように、収益構造で見れば「カジノのためにＩＲがある」というのが実情であり、「カジノはＩＲの一部でしかない」と言うのはどう考えても無理があると言わざるを得ない。

●ＩＲ型カジノの莫大（ばくだい）な利益はどこにいくのか？

次に、ＩＲ全体の五〇～八〇％超を稼ぎ出す、莫大なカジノの収益が「どこにいくのか？」についても見てみよう。

カジノが「儲（もう）かる商売」であることは間違いない。一般的にカジノの利益率（ＥＢＩＴＤＡ）は四〇％程度とかなり高く、アメリカの大手カジノ事業者、ラスベガスサンズの場合、利益の約二〇％を株主への配当等に回していて、その額は七年半で二五〇億ドル（日本円で約二兆七五〇〇億円）にも上る。

しかも、ラスベガスサンズの場合、実質的な「家族経営」（株保有率は経営者のアデルソン氏本人が一〇％、妻四九％）であるため、主な配当先はアデルソン氏と妻、そして、アデルソンファミリーの信託投資基金なので、莫大な利益の大半はアデルソン家の懐に流れ込む仕組みになっているのである。

ラスベガスサンズは横浜のIR誘致計画に強い興味を示していると言われるが、仮に横浜がIRを建設し、ラスベガスサンズが事業者に選ばれた場合、「自治体が誘致した施設」が生み出す莫大な利益の多くが国外の、それもアデルソン家という「個人の利益」となる可能性があるということになる。

一方、同じアメリカの大手カジノ事業者でもMGMリゾーツやシーザーズなどは「家族経営」や「個人経営」ではないが、こちらも莫大な利益が「配当」という形を通じて投資信託、銀行、個人投資家など「ギャンブルという確実に儲かるビジネス」に投資した一部の人たちの利益になるという基本的な構造は同じである。この「利益」とはすなわち、「ギャンブルで負けた誰かのお金」であることを考えれば、そこに何らかの「公益性」を見出すことは不可能だ。

●「コンプ」によるIR施設への利益補塡が地元経済の競争力を奪う

それでは、より広い意味での「経済波及効果」についてはどうだろう。「カジノ推進派」が主張する「地元経済への貢献」には、IRの誘致によって、観光客が増えたり、新たな雇用が生まれたりすることが期待されることに加え、IRの建設と運営がもたらす、さまざまな関連産業への需要などを総合的に考えれば「ＩＲ誘致による地元経済へのプラスは大きいのだ」と訴える。だが、本当にそうだろうか。地元経済への影響という意味では、ＩＲの持つ「副作用」についてもきちんと検証する必要があるだろう。

副作用の例として、ＩＲ型カジノの特徴のひとつである「コンプ・サービス」について触れておきたい。これは、客がギャンブルで賭けた金の一定比率をポイントとして還元し、客はそのポイントでＩＲ施設内の宿泊、飲食、娯楽、ショッピング等を無料、または割引で利用できるという、一種の「ポイント還元サービス」のことだ。これは現代のＩＲには欠かせないシステムで、例えばアメリカのアトランティックシティの場合、カジノの収益のおよそ三分の一がコンプ・サービスに費やされている。

既に述べたように、ＩＲ型カジノのビジネスモデルは「ＩＲ施設全体で集客し、その利益をカジノが刈り取る」という点にあり、ＩＲに含まれるカジノ以外のさまざまな施設は「高収益のギャンブル」で稼ぐための客集めの手段でしかない。コンプ・サービスは、いわば、カジノの客集めのための「撒き餌(まえ)」であると同時に、ギャンブルに負けた客にもポイント還元による「メリット」を感じさせることで、客により多くの「賭け金」を使わせるための巧妙な仕組みでもある。

このコンプ・サービスの存在を地元経済への影響という観点から考えると、ＩＲの新たな問題点が浮かび上がってくる。それは、コンプ・サービスがＩＲ内に入るさまざまな商業施設にとって、カジノの収益の一部を使った「利益補塡」として機能しているという点である。客がポイントを使って宿泊、飲食、買い物などをした場合には、同等の額がカジノから店側に支払われることになっているのだ。そのため「ＩＲ施設内」のホテル、レストラン、娯楽・商業施設などは、「ＩＲ施設外」のライバルに比べて有利な条件で、より競争力の高い、安価なサービスを提供することが可能になる。

その結果、何が起こるのか。ＩＲ内であれば宿泊も食事も割安になる客が、わざわざＩＲの外に出ていこうとするだろうか。ＩＲによって喚起された消費需要は、コンプ制度の受益者であるＩＲ施設内の事業者によって囲い込まれ、一方、ＩＲ周辺にもとからあったお店などは、不利な条件での競争を強いられることになる。巨大なショッピングモールの進出が既存の地方商圏を破壊し、その利益が地元経済ではなく、一部の大企業に集約される構造と同様で、ＩＲの誘致が本当の意味での「地域経済の活性化」を実現できるかと言えば、甚だあやしい。

●日本のＩＲに国際競争力はあるのか？

次に、もう少し視点を広げて「カジノを含むＩＲ」が日本経済に与える効果について考えてみよう。ギャンブルとは基本的に「誰かが負けたお金」が「ギャンブルに勝った少数の人」と

「カジノ自体」の利益に集約されるという構造を持つ。

　しかも、既に見たように、「カジノの利益」の多くが、配当として海外のカジノの経営者や投資家に流れるため、仮にカジノの顧客の大部分が日本人であれば、総体としては「博打(ばくち)に負けた日本人のお金が集約され、その一部が国外に出てゆく」というアウトバウンドの流れになりかねない。カジノ推進派が主張するように、海外からのインバウンドのお金を期待するのであれば、外国人が日本のカジノの主な顧客、つまり「カモ」になって、日本にお金を落としてくれる必要がある、ということだ。

　ただし、そこで問題になるのが、日本のＩＲの持つ「国際競争力」だ。世界には一二〇カ国以上にカジノがあり、アジアだけを考えても、古くから知られるマカオや前述のシンガポールなど、カジノは既に供給過多の状況にある。では、こうしたライバルたちに伍(ご)して、後発の日本がどれだけ海外の客を呼び込めるのか？　特に富裕層を中心とした「大口のギャンブラー」にとっての魅力的なカジノたりえるのかという点には、大きな疑問符がつく。なぜなら、マカオやシンガポールなどのカジノには、海外の富裕層がわざわざ訪れてお金を使う理由を提供する「極めて不健全なサービス」が存在するからだ。

　その典型が「ジャンケット」（海外から富豪を連れてくる世話人）という仲介業者の存在だ。彼らはカジノに雇われ、カジノのお金を元手に、時には若干非合法な形でギャンブラーに遊興資金を融通したりする役割を担っており、こうした行為は実質的なマネーロンダリングとほぼ不可分だと言ってもいい。海外のリッチなギャンブラーがカジノを選ぶ場合、こうしたジャンケットによる徹底的なサービスが保障されていることが重要な要素となっており、シンガポールも当初は「ジャンケットを認めない」としていたが、最後には認めざるを得なくなった。しかし、日本はジャンケットを認めていないし、認められるわけがない。

実は、これらの事情から外国人客をあてにできない、という見通しには、推進派も投資家も概ね同意している。それでも彼らが表向きは「外国人客を呼べるはずだ」と言い続けているのは、そう言わないとカジノの誘致は実現しないからだ。だが、実際には外国人客をあてにできず、国内の客を相手にするならば、前述のように「国内のお金が海外に吸い出されていくだけ」という結果になる。

もちろん、「日本の国益」を考えれば、カジノで負ける客の一定数は外国人でなければ困るのだが、一部の人たちの「私益」を考えるなら、負けるのは日本人でも外国人でも構わないというのが、おそらく、カジノ推進派の本音ではなかろうか。既に述べたようにカジノの利益率は高く、事業者はかなり巨額の投資をして建設しても五年くらいで投資を回収でき、その後は毎年四〇%くらいのリターンが得られる計算だ。また、カジノ誘致による間接的な受益者は日本国内にいくらでもいるだろう。だが、果たしてそれらを「公益」と言えるのだろうか？

●「税収」vs.「ギャンブル依存がもたらす社会的コスト」

「地域経済へのプラス」という意味で言えば、少なくともカジノ誘致による「税収の増加」は期待できるだろう。巨額のカジノ収益に対して三〇％（国一五％、地方自治体一五％）のカジノ税を課せば、地元自治体の税収は確実に増加するし、それが公的な歳出として地域に還元されれば「地域経済へのプラス効果」もあるはずだ。横浜市も「事業者から提供された情報」に基づく推計としてＩＲの誘致による増収効果が、年間八二〇億〜一二〇〇億円期待できるとしている。だが、何度も繰り返すが、カジノの利益とは「賭博で負けた誰かのお金」である。単に税収を増やすために中毒性のある賭博を広め、しかも、その主な客は地元住民も含めた日本人ということになれば、国内の人々に「中毒性のある納税制度」を広めるようなものである。

もうひとつ、忘れてはならないのが、ギャンブルが本質的に持つ「害」によってもたらされる社会的コストの増加だ。今回のカジノ合法化に関しては、ギャンブル依存症への対策が重要な論点のひとつとなっているが、賭博には一般的に中毒性があり、世界各国でもギャンブルで生活を破壊された人たちが社会保障制度の対象となり、結果として地域の公的負担を高める可能性が指摘されている。つまり、カジノによってもたらされる受益と負担が、公的な歳入と支出の両方に影響しうるということだ。

ちなみに、カジノが中毒性を持ち、人間の支出行動を大きく変えることは、既にさまざまな調査や研究で客観的に証明されている。ある調査によれば、初めてラスベガスに来た人のうち、初めからカジノが目的である人の割合は、全体の僅か一％にすぎないにもかかわらず、実際には滞在中に約七四％がカジノを利用しており、その中にはリピーターとなる人も少なくない。そして、これらの客は平均でカジノに五二〇ドル、他の買い物に一五〇ドル落としていくのだという。これは、カジノが人に与える影響を非常にわかりやすく示していると言えるだろう。「ギャンブルは危険」と思っている人も、小銭を持ってカジノに行ったらギャンブラーに変わってしまう可能性が高い。カジノは人の支出行動を変えてしまうのである。

●無から「債権」を生み出す錬金術、「特定資金貸付」制度

しかも、カジノには利益を最大化するため「客にできるだけ多く負けさせる」ことを目的とした、もうひとつの仕組みが備わっている。それは日本のＩＲ実施法にも具体的に盛り込まれている「特定資金貸付」という制度だ。これは簡単に言えば、一定の金額を納めた客に対し、カジノ側が無利子で賭け金を融資する制度のこと。ただし融資から二カ月経つと、いきなり年間一四・六％もの違約金が上乗せされるという仕組みになっている。

特定資金貸付制度には「与信枠」があり、これは、あらかじめ客の資産から算定した上限を

設定しておけば、「カジノはその範囲内でしか貸さないから、酷いコトにはなりませんよ……」という制度だが、この資産には所得以外の預貯金や持ち家などまで含まれる。仮にそれなりの貯金があり、親から譲ってもらった持ち家に住んでいれば、収入の範囲を超えても「貯金と持ち家を失う程度」までは負けることができるということだ。もちろん「支払い能力を超える債務」を背負うよりはマシかもしれないが「博打で身代を失う」には十分だろう。

さらに特定資金貸付制度で注目すべきなのは、カジノが客に「お金を貸す」のではなく、「チップを貸す」仕組みだという点で、つまりカジノには一切の元手がいらない。考えてみれば、チップという「ただ同然のプラスチックの板」が、何万円という債権に変わるのだから、もはや「現代の錬金術」と言ってもいいだろう。

もちろん、たとえプラスチックの板だろうと、それが債権である以上、貸し手であるカジノには債権回収の権利がある。この債権回収がいわゆるサービサー（債権回収業者）に委ねられることで厳しい取り立てが行われかねない。

いずれにせよ、カジノは多くの客の負けによって成り立つビジネスであり、客の負けを最大化するための、さまざまな仕掛けが周到に準備されている。そして、その罠にはまり、カジノによって支出行動を変えられた人たちが、ギャンブルによって生活を壊され、将来、社会保障の給付対象になったり、治安の悪化や犯罪率の上昇を引き起したりすれば、結果的にその「社会的コスト」は地域の経済的なメリットではなく、逆に公的な負担として圧し掛かる可能性もあることを忘れてはならないだろう。

●なぜカジノにこだわるのか？

カジノに頼らずとも、日本の観光業はインバウンドが伸びている最中で、しかも、まだまだ伸びしろがある分野である。中でもＭＩＣＥを絡めたものもポテンシャルがあると言われている。ＭＩＣＥとはMeeting（会議）、Incentive Travel（招待旅行）、Convention（国際会議）、Exhibition（展示会）の四つの頭文字を合わせた言葉で、国際会議場・展示場を中心とした複合施設を誘致することによって、定期的かつ大規模な観光客を地域に連れてくる仕掛けである。ＭＩＣＥ需要は人数も多く、滞在者が地域にお金を落としていくことが多いため、地域経済にお金の流入をもたらすことが期待でき、海外でも多くの成功事例が報告されている。

もちろん、「カジノを含むＩＲ」においても、こうしたＭＩＣＥ需要との組み合わせが強く意識されているわけだが、ＭＩＣＥそのものに高いポテンシャルがあるのに、なぜ、それが「カジノと一体化した施設」という前提で議論されなければならないのかは大きな疑問である。

また、日本の観光業でインバウンド増加をもたらす、もうひとつのキーワードは「地域性」だ。近年、日本人も知らないような田舎に外国人観光客が殺到しているのは、彼らがどこにでもある観光施設ではなく、地域そのものの魅力に引き付けられているからに他ならない。それなのに、世界中どこにでもある箱物＝カジノを造るというのはどういうことか。カジノにこだわるがゆえに、まだまだ成長や努力の余地があるインバウンド用観光資源の開発、発想、将来性を閉ざしてしまうのではないか。それは日本の観光業にとってはマイナスなのではないか。地域性を生かして観光客を増やす余地があるのに、なぜ、議論をカジノの誘致という狭いところに可能性を押し込めてしまうのだろう。

●住民の声を反映した民主的プロセスが必要

このように、地に足のついた議論をしていけば「カジノを含むＩＲの誘致」が必ずしも地元経済にプラスになるとは言い切れず、その「公益性」には疑問があるだけでなく、むしろ多くのネガティブな影響が推定される。それにもかかわらず、横浜市が二〇一九年、突然の誘致表明を行った背景には、大阪と横浜どちらが勝つか、という焦りに突き動かされている人がいるのではないだろうか？　その人たちはそれぞれの地域においても、周囲の富を吸い寄せることによって、地域の将来を存続させるという発想なのかもしれない。

しかし実際のところは、逆の効果を生むかもしれないのだから、そうした焦りに駆り立てられて誘致合戦に加わるのではなく、カジノ誘致をめぐるこれらの論点についてきちんと情報を開示し、住民の意思を確認するというのは、地方政治として当然とるべきプロセスではないかと考える。

事実、近年はカジノの建設をめぐり、民意が反映される例が出てきている。アメリカのニューハンプシャー州では、カジノに関する情報を収集・公開して議論した結果、二〇一四年にカジノ合法化法案を下院で否決した。また、同国マサチューセッツ州では、二〇一一年にカジノが合法化されたが、地域経済活性化を目的とした地方でのカジノ開設に限定され、開設にあたっては住民投票が義務付けられている。

横浜市の林文子（ふみこ）市長は二〇一九年一二月から市内の全一八区で説明会を行い、ＩＲ誘致の必要性と横浜市の取り組みについて「自らの言葉で丁寧にご説明し、市民の皆様のご理解を頂きたい」と語っているという。だが、市長が「丁寧に説明すること」と市民がその説明を「理解し、受け入れること」とは同じではない。

市長はこの説明会で横浜市の税収や観光に関するデータを示しながら「横浜市の観光ブランド力の弱さ」や「インバウンド需要取り込みの不足」そして「将来的な税収減への不安」などを強調し、あたかも、高齢者や子どもたちの未来のためにはＩＲ型カジノの誘致が必要だと言わんばかりの論理を展開している。

だが、そこで根拠として示されたデータには、そもそもデータとしての信頼性や妥当性に疑問があるものが少なくなく、基本的な前提を無視した東京、大阪など、他の大都市との比較など、横浜市の現状を敢えてネガティブに印象付けることで「だからＩＲが必要だ」という流れに導こうという市側の意図が透けて見える。

一方、市が示した八二〇億～一二〇〇億円とされる「税収増」や、建設時には七五〇〇億～一兆二〇〇〇億円、運営を始めれば一年あたり六三〇〇億～一兆円に及ぶ「経済波及効果」などについては「事業者から提供された情報を基に監査法人が整理、確認したもの……」と言うだけで、根拠となるデータを示しておらず、ＩＲ誘致のメリットについては「事業者の主張」を鵜呑みにしているに等しい。

ちなみに、横浜市がＩＲ誘致によって年間一〇〇〇億円程度の税収を得るには、そこから逆算してカジノの収益が少なくとも五〇〇〇億～七〇〇〇億円は必要になる。しかし、繰り返すが、カジノの収益とは「ギャンブルで負けた人が失ったお金」である。つまり、林市長は「賭博で年間五〇〇〇億円以上の巨額を客に負けさせること」によって、高齢者や子どもたちの未来を支えたいと主張しているのだ。

これまで見てきたように、カジノが何をもたらすのかについて、他国の事例から考えてみれば、そこにあるのは、必ずしもバラ色の未来とは限らない。実際、横浜市ではＩＲ誘致に対する市民による大規模な反対運動も起きており、既に住民投票や市長のリコールを求める動きも出ている。林市長が主張するように、ＩＲの誘致が横浜市の将来に大きく影響するプロジェクトであるのならば、当然の前提として、徹底した情報公開と民意の反映という手続きが欠かせないはずである。

そうした丁寧な議論と、民意の反映というプロセスを経ず、他の都市との「ＩＲ誘致競争」という構図を強調した「食うか食われるか」のような議論で、富の奪い合いに首長が手を挙げるというのはよろしくない。地域住民の声も反映しつつ、民主的なプロセスに基づいて、ＩＲ誘致をめぐる議論が進むことが必要ではないだろうか？

【付記】 新型コロナウイルスのパンデミックで、カジノ企業は軒並みカジノ収益の急減に見舞われ、巨額の最終赤字決算に追い込まれている。ラスベガスサンズは二〇二〇年五月、日本進出の見送りを発表し、その後アメリカのカジノ企業ウィン・リゾーツも横浜に開設していた日本事務所を閉鎖した。新型コロナによってカジノの高収益性は失われ、数十億ドル規模のＩＲ投資は不可能な状況となった。収束後もカジノ市場の見通しは暗く、ＩＲ誘致の根本的見直しが必要となっている。［著者］

二〇二〇年七月六日　公開

アメリカ大統領選挙の行方を変える新ムーブメント

エッセイスト　渡辺由佳里

●トランプ有利の風向きに変化が

前年末にアメリカの下院本会議がドナルド・トランプ大統領の弾劾決議を可決し、上院議会でトランプ大統領の弾劾裁判が進んでいた二〇二〇年一月下旬、筆者は「弾劾されたトランプが大統領選に勝つ可能性が高い理由」というエッセイを書いた。その中で、マイノリティになりつつある白人（特に男性）が「自分にとって心地がよかった世界が変わることへの嫌悪と恐怖」を抱いていることや、そのような白人によってトランプが再選される可能性が高いことについて言及した。

しかし、このエッセイを書いた後で、誰にも予想できなかったことが次々と起こった。最初は新型コロナウイルスの大流行だ。対応しきれない数の重症患者が押し寄せる医療機関がパニック状態になっている時ですら、トランプ大統領は「ただの風邪みたいなもの」「そのうち奇跡的に消える」「自分の功績を傷つけるためのリベラルの陰謀」などとパンデミックの現状を否定し続けた。ようやく対策のためのタスクフォースを作ってからも、記者会見の時に「漂白剤を注射する」といった自己流の治療法を進言して専門家の努力を台無しにした。また、自分自身がマスクを着用せず、着けないことをあたかも自由と勇気の象徴のように扱った。そのため、アメリカではマスク不着用とソーシャルディスタンスを取らないことが政治的な意思表明のようになり、六月になってからは共和党が強い南部や西部の州で感染者数が急増している。

●全米に、世界に広がる Black Lives Matter デモ

パンデミックによる自宅待機が続いて人々がフラストレーションを覚え始めた頃に起こったのが、世界規模の #BlackLivesMatter（ＢＬＭ、ブラックライブスマター、黒人の命も重要だ）抗議運動だ。そのきっかけは、アメリカのミネソタ州ミネアポリスで五月二五日に起こった白人警官による黒人男性の殺害だった。偽の二〇ドル札でタバコを買った男がいるという食料雑貨店からの通報でかけつけた警官らが、武器を持たず、抵抗もしていない容疑者のジョージ・フロイドの首を八分四六秒にわたって膝で押さえつけて圧迫し、死亡させたのだ。複数の目撃者

が「息ができないと言っている。やめなさい」と言っている中で警官らが冷酷に一人の人間を殺した映像は、多くの人に衝撃を与えた。

これまでも、武器を持っていない黒人を白人の警官が殺す事件は何度も繰り返されてきた。そういった事件のたびにBLMの抗議デモは起こったが、フロイドの死の後にミネアポリスで始まった抗議デモは、今までとは異なった。単発のデモでは終わらずに全米に飛び火し、黒人やマイノリティだけでなく数多くの白人も加わり、世界中で賛同のデモが起こるようになった。

これまでの大統領であれば、パンデミックとデモによる混乱を悪化させないために国民に団結を呼びかけることだろう。ところが、トランプはツイッターや記者会見で警察や軍による暴力を使った鎮圧を示唆し、火に油を注ぐような人種差別的発言を繰り返した。

さらに、パンデミックのさなかだというのに、トランプはオクラホマ州タルサで六月一九日に大規模な選挙ラリー（政治集会）を行うことを決めた。六月一九日は、「ジューンティーンス」というアメリカの黒人が奴隷制からの解放を祝う重要な記念日だ。また、タルサは一九二一年に白人優越主義者らが黒人の住民を大量虐殺した歴史がある地だ。黒人の商業地として栄えていた場所で起こった虐殺と破壊は「ブラック・ウォール街の虐殺」としても知られている。タルサの、しかもブラック・ウォール街のすぐ近くで「ジューンティーンス」に集会を行うというのは、黒人に対する故意の侮辱であり、ＢＬＭの抗議運動を行っている者たちへの挑発だ。

多くの批判を浴びたためにトランプは日程を二〇日に変更したが、すでに多くの人が彼の意図を理解した後だった。

●共和党員もトランプ批判を展開

そんな大統領のリーダーシップに危機感を覚えているのはリベラルだけではない。古くからの著名な保守の論者や共和党員が公の場でトランプを批判するようになっている。その中でもソーシャルメディアで大きな影響力を持っている団体が、The Lincoln Project（リンカーンプロジェクト）とRepublican Voters Against Trump（RVAT）だ。

スーパーPAC（特別政治行動委員会）であるリンカーンプロジェクトを運営しているのは、トランプの大統領顧問ケリーアン・コンウェイの夫であるジョージ・コンウェイ、ジョージ・W・ブッシュ元大統領や元大統領候補ジョン・マケインの側近だったスティーブ・シュミット、かつてニューハンプシャー州共和党の委員長だったジェニファー・ホーンなど長年の共和党員である（トランプが大統領になった後、党を離脱した者もいる）。このリンカーンプロジェクトは、トランプ批判と民主党指名候補ジョー・バイデン支持の政治広告ビデオを頻繁に作ってソーシャルメディアで流している。トランプの弱点をあざ笑うビデオが多く、怒ったトランプが反撃のツイートをするためにさらに注目を集めている。RVATを創始したのは、ネオコン（新保守主義）の政治アナリストとして有名なビル・クリストルだ。このグループは、トランプを支持できない共和党員、元共和党員、トランプに票を投じたことを悔いている元トランプ支持者の証言ビデオを作ってソーシャルメディアで広めている。

●空席だらけのトランプ集会

このような状況の中、トランプは六月二〇日土曜日にタルサで政治集会を行った。その直前、トランプとキャンペーン・マネジャーは「チケットをリクエストしたのは一〇〇万人以上」とトランプの人気を自慢していた。会場は一万九〇〇〇人を収容できる多目的屋内アリーナで、そこに収まらない支持者のために屋外にも会場が設置されていた。

多くの人は、大人数のトランプ支持者と、彼らに抗議するグループが衝突し、警察の出動で暴力的な事件にエスカレートすることを恐れていた。ところが、まったく予想もしなかったことが起こった。まず、会場近くで暴力的な衝突は起こらず、静かなものだった。何よりも驚きだったのは、会場が空席だらけだったことだ。消防署の報告では入場者はたったの六二〇〇人。屋外に残された支持者はおらず、屋外の会場は速やかに撤去された。

トランプ陣営にとっては寝耳に水だったようだが、主流メディアにとっても驚きだった。次第にわかってきたのは、この驚くべき現象の背後に、ソーシャルメディアの TikTok のユーザーとK‐POPのファン、そして「TikTok おばあちゃん」というニックネームをつけられた女性の存在があるということだ。ピート・ブーテジェッジ（民主党の候補として二〇二〇年の大統領予備選に出馬したが後に辞退）の選挙ボランティアを始めた一年前までは無所属だったというこの女性は、「トランプ集会のチケットをリクエストしたうえで行かない」という具体的な抗議運動の方法を TikTok で伝授した。このビデオが若者の間でシェアされて広まった。この方法を広めたもうひとつの意外なヒーローは、団結力が強いK－POPのファン（特に人気グループBTSのファン＝ARMY）だという。以前からトランプに対し批判的だったK－POPファンによるチケットリクエスト活動はさらにめざましいものだったようだ。

偽のチケットリクエストで会場に空席を作るという戦略をトランプ陣営に嗅ぎつけられないために、彼らは自分の知り合いにアイディアをシェアしたら四八時間以内にその投稿を消したらしい。これは、プロの政治ストラテジストも脱帽する策略だった。

大統領選挙での最初の大規模集会で恥をかかされたトランプを、リンカーンプロジェクトは格好の笑い者にし、フォロワー一〇〇万人を達成した。RVATのフォロワーも一〇万人を超え、さらに多くの共和党員が「トランプを支持できない理由」の告白ビデオを提供している。

「ニューヨーク・タイムズ紙」とシエナ・カレッジが選挙登録者を対象に六月一七日から二二日にかけて行った世論調査では、ジョー・バイデン支持が五〇％でトランプ支持は三六％と、これまでで最も大きな差がついた。この世論調査で、白人（特に若者）の多くがパンデミックやBLMの抗議デモに対するトランプの対処に反感を覚えていることもわかった。

世論が変わるにつれ、これまでトランプに反対したくても怖くてできなかった人たちが勇気を持つようになっている。二〇一六年の共和党大統領予備選の候補だったカーリー・フィオリーナも六月二五日に「バイデンに投票する」と発表した。

●大統領選挙とムーブメント

近年の大統領選挙では、必ず新しいムーブメントが起こった。二〇〇八年には、バラク・フセイン・オバマという風変わりな名前の若い黒人候補に、若者たちが「Change（変化）」を求める自分たちの理想を投影した。そんな若者たちが、まだあまり使われていなかったツイッターやフェイスブックを駆使してムーブメントを盛り上げた。筆者が知るマサチューセッツ在住の高校生は、高校生のボランティアを集めて激戦州であるニューハンプシャー州にバスで運び、戸別訪問で大人たちを説得した。投票権を持たない若者が大きな役割を果たしたのだ。

二〇一六年の大統領選では、筆者が訪問したニューハンプシャー州で「これまで選挙で投票をしたことがない」という白人たちが「自分たちの考えていることを代言してくれる初めての候補」であるトランプに感激し、自主的に家族や隣人を説得する活動をしているのを目撃した。

二〇〇八年も二〇一六年も、これまで政治に関わったことのない人々が「自分の行動が選挙を変える。社会を変える」というパワーに目覚めて魅了され、大きなムーブメントを作った。二〇一六年のヒラリー・クリントンに欠けていたのは、この新鮮な興奮とムーブメントだったと思う。

二〇二〇年の民主党指名候補であるジョー・バイデンは、七七歳と高齢であり、政治家歴が長い白人男性だ。彼に新鮮さはない。だが、筆者の取材では、リベラル寄りの有権者の多くが「副大統領候補に年下の女性（特に黒人女性）を選んでくれたらそれでいい」と答えた。「こんなことを言ってはいけないが」と遠慮しつつ「バイデンは副大統領に仕事を任せるだろうし、（高齢だから）もしかしたらその女性が大統領になる事態があるかもしれない」と付け加える人もいた。それに、今回の大統領選での新鮮なムーブメントは候補ではなく「トランプを権力の座から下ろす」という目標なのだ。その目標に向かって、これまで敵対していたグループが繋がり始めている。ツイッターで「トランプはアメリカ人を団結させる大統領だ。『アンチ』という意味で」というジョークも目にしたが、決して冗談ではなくなっている。

●若い女性たちがアメリカの将来を変える

もうひとつこれまでの大統領選と異なるのは、タルサでの集会で空席を作ってトランプに打撃を与えた戦略の中心にいたのがK－POPの熱狂的ファンである若い女性たちだったということだ（Brandwatchによるソーシャルメディアの調査では、ARMYの七五％が女性だという）。そのうえ、彼らの活動は非常に平和的だ。以前から #WhiteLivesMatter（白人の命も大切だ）といった白人優越主義者によるハッシュタグがトレンド入りしそうになると、K－POPのファンがそのハッシュタグをつけてK－POPのミュージックビデオを大量に投稿するという抗議活動をしているのは知られていた。二〇一六年の大統領選では、ハッシュタグをつけて陰謀説を流す者が多かったが、K－POPのファンはそれを無効にするパワーを持ち始めている。

これまでの大統領選では、党や候補にかかわらずムーブメントの中心にいたのは白人男性だった。だが、二〇一五年にボルティモア市で若い黒人女性の投票を促す無党派の非営利組織Black Girls Voteを立ち上げたナイキ・ロビンソンのように、若い女性がムーブメントを作るようになっている。

もし、タルサのトランプ集会を破滅させた若い女性たちが二〇二〇年の大統領選挙に影響を与える〝パワーハウス〟（原動力）になるとしたら、高齢の白人男性を中心にした政治が根こそぎ変わるかもしれない。そうなったら、アメリカの将来は本当に変わるかもしれない。

二〇二〇年八月一八日　公開

内政に火種を抱え、外交で孤立化する習近平政権

ルポライター　安田峰俊

二〇二〇年の中国は、内政と外交の双方で悩ましい状況に立たされている。少なくとも一九八九年の天安門事件後では最大レベルの危機的な局面と言っていい。それはたとえば、新型コロナウイルスの流行、香港・ウイグル問題、米中対立から拡大した西側諸国の対中国警戒感の高まりなどが挙げられるのだが、これらはいずれも習近平政権のありかたそれ自体が、事態が深刻化した遠因を構成している。

●新型コロナウイルス

二〇一九年末、湖北省武漢市から新型コロナウイルスの流行が始まり、パンデミックが続い

ているのはご存じの通りだ。コロナ禍はおおむね二月までは主に中国の国内問題として推移していた感がある。事実上のパンデミックに変わったのは、中東や欧米に感染が拡大した三月以降のことだが、逆に中国は三月までに流行をほぼ抑え込んだ。台湾やベトナムのように感染発生の最初期から鉄壁の防御体制を敷いていたごく少数の国・地域を除けば、いまや中国はことコロナに関しては世界でも有数の「安全」な国となっている。

だが、流行初期の中国当局の動きについては中国国内外から批判が大きい。パンデミックの責任の一端が中国にあることは確かだろう。新型感染症の発生は、少なくとも二〇一九年一二月上旬の時点で観察されており、一二月三〇日に武漢中心病院の李文亮（リーウェンリアン）医師や艾芬（アイフェン）医師らがWeChatのグループ内で奇妙な肺炎の蔓延（まんえん）を話題に出していたが、地元当局はこうした医師たちを「デマの流布」を理由に摘発。さらに武漢市衛生健康委員会は新型コロナの「ヒト・ヒト感染なし」という、その後の推移から見れば明らかな虚偽というしかない主張を繰り返した。不祥事が発生した際に現場レベルの各層で情報隠蔽がおこなわれるのは中国ではよくある話だが、強権的な習近平体制のもとではなおさら、上部機関に対して良い情報しか上げない傾向（「報喜不報憂」）が強く、武漢での初動のもたつきもこれによりもたらされたと見ていい。中国において新型コロナウイルス流行が「大事件」になるためには、二〇二〇年一月二〇日に習近平が「重要指示」を出し、隠蔽の禁止と対策徹底を呼びかける必要があったのである。新型コロナの「ヒト・ヒト感染」も、この時点になってようやく明らかとなった。

　もっとも、実は中国国内でコロナ禍が極めて深刻だった二〇二〇年一～二月は、対応にあたって習近平の存在感は非常に希薄で、危機感も感じ取りにくかった。なお、当時はまだウイルスの国際社会への伝播は限定的で、中国一国の国内問題としての性質が強かった時期である。

「重要指示」が出た一月二〇日、ミャンマー外遊直後の習は雲南省におり、北京を離れた状態での指示であったうえ、二一日には江沢民や胡錦濤ら党長老への春節前の挨拶回りを予定通りに実施。さらに武漢市が封鎖された当日である一月二三日も、北京で党常務委員会に出席してから春節祝賀の宴会の壇上に立ち、新型コロナウイルス問題に言及することなく「中華民族の偉大な時代」を強調する平素通りの演説をおこなった。その後、一月末に結成された新型コロナウイルスの流行対策チーム（「指導小組」）のトップも、珍しくナンバー二の李克強が務めている。習近平は一月二八日に訪中したＷＨＯのテドロス・アダノム事務局長との会談から一週間にわたり動静が途絶えるなど、「責任者不在」の印象すらあった。

　この一～二月は、中国の言論状況が政治批判に対して比較的寛容だった胡錦濤時代に逆戻りしたかのようで、習政権の足元の動揺が外部からも可視化された時期だった。たとえば一月二七日には周先旺武漢市長が「地方政府は情報があっても権限が与えられて初めて公にできる」とＣＣＴＶ（中国中央電視台）のインタビューを受けて述べているのだが、そもそもこの発言自体が異例であるうえ、それが国営放送のCCTVで放送されることも異例だ。また、コロナ禍に呑まれた武漢では苛立った市民や医療関係者が国内外のSNSや動画配信サービスで苦境を訴えたり、実名で海外メディアの取材に応じたりする例もかなり目立った。前年一二月時点でコロナ禍に警戒を呼びかけて当局の処罰を受け、やがて二月七日に自身もコロナ感染で病死した李文亮医師の訃報が伝わると、強い言論統制を受けているはずの微博（中国国内のSNS）でも、李医師の無念の死をいたんで政府の動きを批判する声があふれることになった。

　こうした動きはいずれも、習政権成立以前（胡錦濤時代）の中国であればまま見られたが、習体制の成立後はほとんど消え去っていたものだ。それが未曽有のコロナ禍のなかで復活した現象は、中国の当局・マスコミ内部や市民感情のなかに、習体制への批判的な感情が意外と多く存在していることを印象づけた。

　もっとも、こうした動きは三月一〇日、習近平が武漢を訪問して事実上の安全宣言を出したことを境に終息する。中国共産党はこの前後から「双勝利」（ウイルス鎮圧と経済回復の両面に勝利する）のプロパガンダを盛んにおこないはじめた。しかも二〇二〇年八月現在、結果的に見れば、中国は他国と比べれば「双勝利」に成功しており、国民をそれなりに納得させることとなっている。

　習近平はひとまず国内のコロナ禍については乗り切った形なのだが、とはいえ政治的なダメージは小さくない。

●香港・ウイグル

二〇一九年六月から大規模化した香港デモは、本来の理由だった「逃亡犯条例」改正案が事実上撤回された同年九月以降も継続し、暴力化。対して香港政府側も一〇月に行政長官に大きな権限を集中させる「緊急状況規則条例（緊急法）」を発動させるなどしたが、香港政府と市民の対立は落としどころが見えない状態になっていた。一一月の香港理工大学での大規模衝突によって暴力的なデモ参加者が大量逮捕されたことや、香港区議会選挙での民主派候補が地滑り的な勝利を収めたこと、さらに二〇二〇年一月以降は新型コロナウイルスの流行などを受けて、デモはある程度は下火になってはいたものの、それでも二〇二〇年一月一日には平和的な抗議デモが一〇〇万人規模の市民を動員している。

こうした抗議の火を強引に終息させたのは、二〇二〇年六月三〇日に北京の中央政府が香港を対象に成立・施行させた「国家安全維持法（国安法）」だ。反政府的な言説を取り締まり、国外に在住する外国国籍者まで逮捕の対象に含めるという、（少なくとも西側諸国の）常識では考えられない法律である。ゆえにこの国安法は、抗議デモを終息させることにこそ成功したものの、その内容は従来の一国二制度のもとでの香港社会の透明性や西側的な法治主義を根本から揺るがすものであり、国際的な非難が殺到することになった。特に香港の旧宗主国である英国との関係悪化は著しく、香港民主化運動の若手リーダーの一人である羅冠總（らかんそう）（ネイサン・ロー）や、在香港英国領事館員で二〇一九年八月に中国国内で身柄拘束を受けた鄭文傑（ていぶんけつ）（サイモン・チェン）など、香港デモの主要人物が次々と英国亡命を選ぶこととなっている。

いっぽう二〇一九年秋ごろからは、中国政府が西北部の新疆（しんきょう）ウイグル自治区でおこなっている少数民族弾圧も、欧米メディアを中心に盛んに報じられるようになった。実のところ中国のウイグル弾圧は（近年、苛酷さを大きく増したとはいえ）いまに始まった話ではなく、むしろ世界の反応は遅すぎるとも言えたが、さておき一連の報道により急激に世界の注目を集めるようになった。特にウイグル人が再教育施設に一〇〇万人近くも収容されているとする話が伝えられると、欧米圏ではナチスのホロコーストを連想させるため、中国への非難の声が高まった。

香港・ウイグル問題の双方の深刻化は、二〇一三年の習政権の成立後に中華民族ナショナリズムが強調され、マイノリティに対する標準的なマジョリティの中国人（中国本土で暮らす標準中国語を母語とする漢民族）への同化圧力が増大したことが、大きな要因として存在している。香港と新疆は、ともに中国本土とは異なった近代史を歩み、住民の言語や文化が北京とは大きく異なる。そのため、従来は香港の場合は一国二制度のもとでの特別行政区、新疆の場合は（多分に形骸化したものとはいえ）民族自治の建前のもとでの民族自治区が置かれ、中国本土とは異なる社会のありかたが認められてきたのだが、その枠組みが習近平政権が成立した二〇一三年ごろから大きく動揺するようになった。

また、香港の場合は中央政府の出先機関である中聯辧（中央政府駐香港連絡弁公室）が、習体制のもとで異論を認めない硬直した状態に陥り、中央政府にとって都合の良い親中派の意見ばかりを中央に報告し続けてきたことが、香港デモに対する習政権の分析や対応策にも少なからぬ悪影響を与えたと言われている。また新疆の場合、二〇一四年に習近平が国家主席就任後初の新疆訪問をおこなった際に爆弾テロが発生し、習近平が再発防止を強く指示したことで、指導者の意向を「忖度」した現地の官僚たちが極端な反テロリズム政策（事実上のウイグル人弾圧政策）を推し進めることになったとされる。悪名高き新疆の強制収容所が生まれたのも、そうした流れのなかでのことだ。

●西側社会の警戒を招いた中国

こうした表舞台の事件と並行して、二〇一八年から深刻化を続けている米中対立の不協和音がBGMのように流れ続けている。当初は主に貿易戦争の形が取られることが多かった米中両国の対立は、二〇二〇年に入ると新型コロナウイルスの武漢市内の研究所からの漏洩疑惑が新たな焦点となり、さらにアメリカにおいてファーウェイなど中国製品の締め出し、果ては

TikTokやWeChatなどの中国製アプリの使用禁止が伝えられるまでになっている。八月にはトランプ政権が香港国安法への制裁として、林鄭月娥（キャリー・ラム）香港行政長官をはじめ香港政府及び中国側の香港行政関係者一一人の在米資産凍結も打ち出した。

二〇二〇年に入り、中国は国際的な圧迫をより強く受けるようになっている。だが、特にコロナ禍以来、中国の外交官や国内メディアは欧米諸国に対してことさら挑発的な主張（中国国内の人気アクション映画のタイトルから「戦狼外交」と呼ばれる）を繰り返し、国内向けには中国が他国と比較してコロナ流行を抑制できている理由を「体制の優位」に求めるようなプロパガンダが増えた。また、WHOのテドロス事務局長がコロナ禍に際して中国寄りの言動を繰り返したケースのように、国際機関や友好国に対する政治的コントロールも活発だ。

もともと一九八〇年代以来、日本を含めた西側諸国の対中政策は、中国を政治的に強く刺激することなく（つまり中国国内問題への介入をある程度は抑制して）中国の経済発展を支援し、来るべき民主化に向けての体制改革を根気強く待っていくという友好的な路線が選択されてきた。だが、習近平政権下での中国の台頭や強権体制の強化、さらには中国が自国の体制モデルの輸出すら図っているかに見える行動を取っていることで、近年は友好的な対中姿勢の見直しが進むようになっている。二〇一九～二〇二〇年にかけて、コロナと香港・ウイグルといった、国際的非難を招きやすい諸問題が表面化したことで、もはや中国への強い警戒が西側諸国の新たなスタンダードに変化した感すらある。

中国はひとまずコロナを抑え込んだが、外交的な摩擦と、世界的な反中国感情の高まりは深刻だ。三期目を迎えることがほぼ間違いないと思われる習政権だが、中国の孤立化が進む限り、その前途は決して安定したものとは言い難いだろう。

Ⅳ　揺れる社会

二〇一九年七月二三日　公開

凄惨な事件をどのような言葉で語るか
相模原事件と「一人で死ね」をつなぐもの

二松學舍大学准教授　荒井裕樹

❶「七月二六日」の記憶

二〇一六年七月二六日に起きた「相模原障害者施設殺傷事件」（以下、相模原事件）から三年が経とうとしている。被害者やその家族・遺族には、なおも癒えない傷を抱える方が少なくないだろう。

犠牲となった方のご無念を思い、心よりご冥福をお祈り申し上げたい。

一方、この事件を追いかける記者や学者たちからは、すでに昨年（一八年）あたりから、記憶の風化を懸念する声が漏れている。一九名もの命が奪われた凶悪な事件が、わずか二～三年のうちに風化してしまう事態を、私たちはどのように受け止めればよいのだろう。
もちろん、七月二六日に「だけ」、この事件を思い起こせばよいわけではない。しかし、この日に「さえ」、思い起こされないなどということがあれば、それはまさに記憶の風化に他ならない。

あの事件が今後、社会にどのような影響を及ぼすのかについて考え続けている私にとって、昨年の「七月二六日」は本当につらい一日だった。

この日、オウム真理教元信者六名の死刑が執行された。死刑制度そのものの是非をここで論じることはできない。また、かつての凶悪犯罪を擁護するつもりは微塵もない。しかし、わずか二年前、おぞましい犯罪によって「死」が重ねられた日に、極めて異例とも言える六名の死刑が執行されたことに、酷いめまいを覚えたのだ。

これに先立つ七月六日には、すでに七名の死刑が執行されていた。その際の報道のあり方（例えばテレビの情報番組では、執行に至る過程がまるで「実況中継」されていた）に強い違和感を覚えていた私は、重ねて六名死刑執行の報道に接し、しばらく感情の整理がつかなかった。

人の「死」に関わることへの「畏れ」や「ためらい」といった感覚が、社会から、メディアから、言論空間から、急速に失われつつあるように思えてならない。そうした心理的な規制が摩耗していく状況が、不気味でならない。

●「死ぬなら一人で死ね」

一九年五月二八日、神奈川県川崎市登戸（のぼりと）駅付近で起きた「川崎殺傷事件」の報道に接し、こうした懸念を改めて強くしている。

私自身、犠牲になった外務省職員と同じ歳（とし）であり、命を奪われた児童と近い年齢の子どもがいる。決して他人事（ひとごと）とも思えないし、無関心でもいられない。

この凄惨な事件を起こし、自ら命を絶った犯人は、長らく「ひきこもり」と言われる状態にあったと報じられている。事件そのものには猛烈な怒りが湧いたが、犯行時の年齢とかけ離れた写真が出回る様子には驚きを禁じ得なかった。当該人物は、どれほど社会と隔絶した状況を生きていたのだろう。

この事件をめぐっては、犯人に対する「死ぬなら一人で死ね」というフレーズが物議を醸し、大きな議論となった。一方には、被害者やその家族・遺族の心情を思えば当然の表現だという意見があり、他方には、こうした言葉が「ひきこもり」と呼ばれる状況にある人々への偏見を助長し、更なる絶望へと追い込むとの懸念が示された。

私自身、あの犯行は卑劣そのものであり、許しがたい凶行だと思う。被害者の無念をおもんぱかれば、胸をかきむしりたくなる思いが湧き上がる。しかし、それでも、それでも、「死ぬなら一人で死ね」というフレーズには、どうしても看過できない不気味さが潜んでいるように思えてならないのだ。

●卑近な嫌悪感は、卑俗な正義感をまとう

私は文学者として、「激しい言葉による感情表現」を無下に否定できない。そうした言葉を使わざるを得ない文脈や事情をこそ読まねばならないからだ。

したがって、もし仮に、加害者を憎む言葉が被害者の私怨から吐露されたとしたら、私はそれを否定できない（私自身、理不尽な犯罪に巻き込まれたら、そうした私怨を吐露するだろう）。静かに、深く、その苦しみを推し量りたいと思う。

しかし、今回騒動となった「一人で死ね」というフレーズは（あるいは、このフレーズがSNSなどで拡散したという現象は）、こうした私怨に根差したものとも思えない。果たしてこの言葉は、誰の、どのような「怨」が焚き付けたものなのだろう。

この問題を考える際に思い浮かぶのは、かつて障害者差別と闘った脳性マヒ者による障害者運動団体「青い芝の会」である。

彼らは「障害者は生きていても可哀想」「障害者は施設で生きた方がよい」という発想その

ものが差別だと叫んだ。こうした発想は、一見「愛と正義」の体裁をとってはいるが、その裏には、障害者への卑近な嫌悪感が隠れていることを喝破したのである。

「青い芝の会」の問題提起を私なりに咀嚼（そしゃく）して言えば、卑近な嫌悪感は、往々にして、卑俗な正義感をまとって現れるということになるだろう。

このことを念頭に置きつつ、SNSに溢（あふ）れた「一人で死ね」という言葉を振り返ってみると、やはり、陰鬱な疑問を抱かざるを得ない。

あれらは純粋に、「被害者感情の擁護」から発せられたものだったのだろうか。そこに冷たく鋭利な感情が混じっていなかったと、本当に言えるだろうか。

ここで言う冷たく鋭利な感情とは、「役に立たない」「迷惑になる」として排除された者への嫌悪感であり、また、誰かのことを「役に立たない」「迷惑になる」という言葉で切り分け、自身から遠ざけたいとする忌避感である。

「死ね」という言葉にも様々な含みやニュアンスはあるだろうから、「死ぬなら一人で死ね」というフレーズ自体が、そのまま「殺意の表明」であるとは言えない。

しかし、もしもその「死ね」という言葉に、特定の人々への嫌悪感が混じっていたのだとすれば、そのこと自体が恐ろしくないはずはなく、そうした言葉が目に見えるかたちで飛び交う状況が、異様でないはずがない。

こうした言葉がさしたる抵抗感もなくメディアに載り、広がり、降り積もっていけば、この社会はますます、人の「死」に対して、無遠慮で、配慮のないものになっていくだろう。

●「自分は『裁く側』にいる」という感覚

今回の騒動で飛び交った「死ね」という言葉は、漠然としたマジョリティ感覚から発せられていたように思う。その正体をはっきりと名指しするのは難しいが、強いて言うなら、「自分は無条件に『誰かを裁く側にいる』という感覚」である。

こうした感覚がSNSばかりでなく、今回の火元の一つになったテレビ（特に情報番組）などでも目につくようになり、とても気になっている。

かつて情報番組で意見を述べる人と言えば、複雑な事情を解説できる学識経験者か、異なる視点を提供できる報道関係者が主であった。しかし、いつしか、「情報の整理」や「異なる視点の提供」よりも、漠然としたマジョリティ感覚を「個人的見解」という体裁で言語化する人物が目立ってきたように思う。

そのような人物たちから時折こぼれる「〜というのが世間一般の考えだと思いますよ」といった類いの物言いが、私には気になって仕方がない。こうした発言は、「個人的見解」を装いつつ「世間一般の価値観」を代弁し、「世間一般の価値観」を伝える体裁で「個人的見解」を開陳していて、不信感を抱かざるを得ないのだ。

この論法で発言する限り、人はいくらでも責任を回避できる。自身の「個人的見解」に差別的な要素が含まれていたとしても、それは「世間一般の価値観」を代弁しただけなのだから自分という一個人に責任はない、ということになるからだ。

「一人で死ね」にせよ、あるいは「不良品」(注)にせよ、公的な言論空間に飛び交う「死」や「命」への丁寧さを欠いた発言の背景には、こうした「感覚」が潜在しているように思えてならない。

個人が私的に発信できるSNSに対して、テレビは組織で運営され、指示系統やチェック体制が存在する。その意味でSNSとテレビはまったく違う。にもかかわらず、近年、両者から発せられる言葉は不気味に均質化しつつある。

今回の騒動は、こうしたテレビが深く関わったということを、私たちは危機感をもって受け止めた方がよい。私たちが目の当たりにしているのは、SNSだけでなく、テレビというマスメディアからも「凄惨な事件の詳細を伝えつつ、人の死を丁寧な言葉で伝える力」が失われゆく様子なのかもしれないのだから。

●「生きる権利」は「一つの意見」なのか

ここで冒頭の相模原事件に、いま一度、立ち返りたい。

相模原事件は、犯行そのものの残忍さもさることながら、容疑者を凶行へと駆り立てた歪(ゆが)んだ価値観も衝撃的であった。そして、障害者の尊厳を蔑(ないがし)ろにする容疑者の価値観に対して、「わからなくもない」といった意見から、積極的な賛同・称賛まで、「同調」の声がSNSに湧き上がった点も衝撃であった。

あの頃、本当に体調を崩したり、外出に恐怖感を覚えたりした障害者たちが少なからずいたということを知ってほしい。

この事件も、二〇二〇年一月から裁判員裁判での公判がはじまる。法廷で、被告がどのような供述をするのかはわからない。憶測で何かを語ることは慎まなければならない。しかし、私にはどうしても拭いきれない懸念がある。

もしも公判中、被告が犯行前後に発信していたような、障害者の尊厳を蔑ろにする発言が繰り返され、それがメディアによって乱雑に報じられたとしたら、再びSNS上に忌まわしい「同調」の言葉が広がるのではないか、という懸念である。

もちろん、裁判の様子が報道されないなどということがあってはならない。裁判を通じて、私たちはこの事件の詳細を知り、同じような悲劇が繰り返されないために必要なことを考えなければならない。

しかし、「障害者の尊厳を奪った事件の詳細を伝えつつ、殺害された障害者の尊厳を守る力」を、すべてのメディア関係者が有しているとも思えない。むしろ、昨年七月の死刑報道や、今回の「一人で死ね」騒動を見ていると、どうしても悲観的な想像をしてしまう。

まさかとは思うが、相模原事件の被告が障害者の尊厳を否定する発言を法廷で繰り返したとして、それに対して「『障害者にも生きる権利がある』といった意見もある」などといった類いの、気味の悪い両論併記が報道されないことを切に願っている。

「誰にでも生きる権利がある」とは普遍的な価値なのであって、併記されるべき「一つの意見」などではない。もしも、このような両論併記がなされたとしたら、この社会には「一つの意見の範囲内でのみ、生きていてもよい人（生きることを許される人）がいる」ということになる。

本当にそれでよいのか。

凶悪な事件には、「社会の歪みの現れ」としての側面が必ずある。したがって、そうした事件について考えることは、私たちが生きる社会そのものを見直すことに他ならない。また一方で、凶悪な事件が「どのような言葉で語られるか」が、その後の社会の「言葉のあり方」を決めていくことになる。

いま、この社会には、「『生きる権利』や『生きる資格』の有無を、無自覚かつ無遠慮に裁く言葉」が溢れている。こうした言葉の氾濫に与するのか。抗うのか。私たちは決して大げさではなく、分かれ道にいる。

【付記】相模原事件を起こした植松聖被告には、二〇二〇年三月一六日に横浜地方裁判所で死刑判決が言い渡された。被告は控訴せず、刑が確定している。〔編集部〕

注　川崎市登戸駅付近で起きた「川崎殺傷事件」を受けて、二〇一九年六月二日放送の『ワイドナショー』（フジテレビ系）で、タレントの松本人志氏は、自殺した事件の容疑者に対して「僕は、人間が生まれてくる中でどうしても不良品ってのは何万個に一個、絶対これはしょうがないと思うんですよね」と発言した。

二〇一九年一〇月二日　公開

「女」というだけで――東京医大等の不正入試問題、その裁判に行ってきた

作家、活動家　雨宮処凛

「東京医科大学で女性受験生の減点が行われていた、そのニュースを見た時の衝撃や絶望は今でも鮮明におぼえています。その時は、まさか自分が巻き込まれているとは思っていませんでしたが、それでもそのニュースがあってから、数日は勉強が手に付きませんでした」

「そんな不安定な数日を過ごしている中、支援者の方々、一般の方々が東京医科大学の前で抗議してくれたことを知った時は、恥ずかしながら自習室で泣いてしまいました。私たち受験生の怒りや絶望を言語化してくれたことが、とても嬉しかったのだと思います」

二〇一九年九月六日一三時すぎ。東京地裁五一〇法廷にて、その女性は落ち着いた声で述べ

た。

法廷の真ん中で意見陳述をしている女性は、Ａさん。女子受験者への一律減点など不正入試が行われていた東京医科大学、昭和大学、順天堂大学を訴えた受験者である。

一八年、複数の医大を受験した彼女のもとには、すべての大学から不合格の通知が届いた。しかし、医大における不正入試の問題が続々と報道されたのち、彼女のもとには東京医科大学、昭和大学から本来であれば合格していたという連絡、また順天堂大学については、一次試験に合格していたという連絡がもたらされたのである。

＊＊＊

女子受験者が一律減点されていたという東京医大不正入試問題が報道されたのは、一八年八月二日。女性は出産、子育てなどで現場を離れることが多い、激務に耐えられないなどの理由から、長年、女子合格者を三割以下におさえる操作が行われていたというのだ。

その翌日の八月三日、この報道に「黙っていられない」と一〇〇人ほどが東京医大前に集まった。急遽（きゅうきょ）開催された抗議アクションを呼びかけたのは、作家の北原みのりさんなど。参加した女性たちは「下駄（げた）を脱がせろ」「女性差別を許さない」などのプラカードを掲げ、多くの女性たちが涙ながらにスピーチした。

「なぜ、女というだけでこれほど理不尽な扱いを受けなければいけないのか」

　この日、集まった女性たちが口にした言葉だ。私も「黙っていられない」という思いから医大前に駆けつけた一人だ。

「でも、やっぱり女性は妊娠、出産とかするし、医者には向かないんじゃない？」という人もいるかもしれない。そんな人には世界の実情をお伝えしよう。ＯＥＣＤ諸国平均で女性医師の割合は四割。比較して日本は二割。ただ単に、日本は他国のように女性医師が働き続ける環境を整えていないだけなのである。

＊＊＊

　それでも「女子一律減点は仕方ない」という人に問いたい。

　あなたが「男だから」とか「○○県出身だから」とか「乙女座だから」などという、自分ではいかんともしがたい理由で「はい、一律減点ね」と言われたとしたら。しかもその大学に入るために何年間も、寝る間も惜しんで努力をしてきた果てに、である。「ああそうですか、仕方ないですね」と引きさがれるだろうか。「女子一律減点」とは、こういうことである。

　東京医科大学の不正入試が八月初めに報じられると、昭和大学、順天堂大学など他の医大でも同様の不正が行われていたことが発覚した。そんな騒動後、Ａさんは三大学から「実は合格してました」という連絡を受けたわけである。そうして彼女は東京医科大学、昭和大学、順天堂大学の提訴に踏み切った。

この日行われた意見陳述で、彼女は提訴へ至る経緯を述べた。

医療系大学を卒業後、数年間は医療機関で働いてきたこと。学生時代に経験した父の急死や、医療機関で働く中で医師になりたいという思いが強まり、医学部受験を決意したこと。二年の計画で受験勉強をし、一年目は国公立のみを受験し、不合格。そうして二年目、東京医科大学、昭和大学、順天堂大学を含む五校を受験したこと。

その結果、すべて不合格（本当は受かっていた大学もあったのだが）。

諦めるか、もう一度受験するか。貯金も尽き始めた中、そんな二択の岐路に立たされ、Aさんはもう一度受験することを決め、勉強に打ち込んだ。

＊＊＊

そうして三度目の挑戦に向けた受験勉強の最中に発覚したのが、東京医科大学の裏口入学問題。便宜を図った見返りとして、文部科学省の官僚の息子が不正に同大へ入学した問題である。その報道をきっかけとして、女子受験者や多浪生への一律減点が次々と明らかになり、また、他の医大でも同様のことが行われていることが発覚していった。

まさにそれらの大学に入ろうとして、二年以上もの間、受験勉強を続けていたAさんにとってこのニュースはどれほどの衝撃だったろう。

「今こんなに頑張っていても、私が女性であり再受験者であるから、きちんと評価をしてもらえず、医学部に合格することなんてできないいんじゃないかと、そんなことを思いました」

Aさんは意見陳述でこう述べている。

そこに飛び込んできた、多くの女性たちが医大前に集まり、抗議したという情報。Aさんはさっそく支援者と連絡を取ったという。が、この段階では真の合否は分からない。自分の力不足で落ちたのでは?と言われてしまえばそれまでだ。

しかし、そんなAさんのもとに一八年一一月、東京医科大学から「入学意向確認書」が届く。合格していたのだ。続いて一二月には順天堂大学より、本来一次試験に合格していたこと、一九年一月には昭和大学から一般入試Ⅱ期において本来なら繰り上げ合格だったことを知らされる。結果として、五校受験したうちの三校で不正入試に巻き込まれていたのだ。

* * *

私がこの日の裁判を傍聴していて驚いたのは、その後の大学の対応だ。

あれほどメディアで騒がれ、多くの批判が集まった「事件」である。丁重な謝罪がなされ、また精神的苦痛や、しなくてもいい受験勉強に多くの時間を割いたことについての補償も手厚くされたのではないかとばかり思っていた。しかし、Aさんの語った事実に愕然とした。

まず東京医科大学。第三者委員会の報告書を公表し、不正入試が起きた経緯などの書類が届いたという。成績開示もされ、その結果、Aさんは合格基準を「結構、上回る得点」だったことも判明。補償に関しての聞き取りもあったが、提示されたのは実費のみ。

順天堂大学については、書面や対面などではなく電話で「実は一次試験に合格していた」ことが伝えられ、また補償として受験料の六万円のみ返還すると言われたという。一次試験が受かっているなら二次試験の機会が欲しいと伝えると、それはできない、今年も一次試験から受験してほしいと言われ、一九年一月に六万円だけが振り込まれ、それっきり――って、なんか新手の詐欺みたいだ。

昭和大学も、やはり電話をかけてきたという。入学のための手続きの話をされ、辞退するなら受験料だけ返還すると言われたという。結局辞退すると、一九年二月に六万円が振り込まれ、やはりそれっきり。その昭和大学については第三者委員会の報告書も公表せず、どういう経緯でAさんが落とされたのか、説明すらないままだという。

これらの多くが、受験直前や受験が始まっている最中に対応を迫られたのだ。

＊＊＊

東京医科大学から、実は合格していたと知らされた時のことを、Aさんは以下のように語った。

「入学意向確認書が届いた時、自分も不正に落とされていたのだという絶望感をさらに味わいました。二年目の受験が終わった時に絶望し、苦しみ、それでも受験勉強を続けていたこの一年間はなんだったのかと」

「不正入試が明らかになり判明したのは、私の学力や医師になる資質が不十分だったからというのではなく、私が女性でかつ一八、一九歳の受験生ではなく、親族に医師がいなかったから、という理由で不合格にされたのだということです」

「手元に合格通知が届いた時も、喉から手が出るほど欲しかったものなのに、正直、あまり嬉しくありませんでした」

「各大学からの答弁書も届き始めていますが、私たちは悪いことをしていたという認識はないけれど、指摘されてしまったから仕方なく、という姿勢にはまったく誠意が感じられません」

そうして意見陳述の最後、彼女は提訴した理由を述べた。

「一年間という時間をムダにし、本来必要のないお金もかかり、医師になるのが一年遅れたにもかかわらず、その補償が実費だけ、受験料の返還だけ、というあまりに不十分で不誠実な対応をされたから」

「二点目として、今後、不正入試を起こさないための再発防止対策が不十分であるということです。いまだに第三者委員会の報告書を出していない昭和大学、最終報告を出していない順天堂大学にはきちんと報告書を公表、再発防止対策を提示して頂きたいと思っています」

＊＊＊

裁判の後、Ａさんと初めて話した。名刺を渡すと私の名前を見て、抗議に行ったことを知ってくれていた。

「ありがとうございます」という彼女の言葉に、デモとかに行ったことで誰かにお礼を言われたのって初めてかもしれない、と思った。逆にいつも、「うるさい」とか「そんな暇あったら働け」とか、見知らぬ人に罵倒ばかりされている。最近はそこに「日本人じゃないだろ」というヘイトまで加わる。

だけどあの日、「他人事（ひとごと）じゃない」と思った女性たちが医大前に駆けつけた。それが報じられ、Ａさんにちゃんと届いたことが、心から、嬉しかった。そうか、ちゃんと嫌なことに嫌と声を上げていたら、当事者に伝わるんだ。そうしてそれが、裁判につながった。

意見陳述を、「とても緊張しました」と笑うAさんは今、三大学とは別の医大生だという。今はまだ出会ってなくても、私たちはつながってるし、支え合っている。

そうしてこの裁判から約一週間後、嬉しい報道を目にした。Aさんの裁判でも「いつ出すのか」が問われていた「昭和大学の第三者委員会の調査報告書」がホームページで公表されたのだ。報告書は、「一部の繰り上げ合格者の男女比に『合理的理由を見いだすことができない』差があるとし、女性差別があった可能性を指摘した」（「朝日新聞」一九年九月一四日朝刊）。

東京医大前のアクションから、一年。事態は確実に動いている。

二〇一八年一〇月一九日　公開

ファシズムは楽しい？　集団行動の危険な魅力を考える

甲南大学教授　田野大輔

「民主主義」の「敵」として、世界中で警戒されている「ファシズム」（注1）。善悪を問うならば、圧倒的多数の人間が「悪」と答えるだろう。

だが社会の中で生きる以上、誰もが一度は参加した経験のある「集団行動」は、いとも簡単にファシズムに結びつく危険性をはらんでいる。

あなたの中に、あるいは周囲に、ファシズムの芽が潜んではいないだろうか？

●世界中で排外主義が高まるのはなぜか？

「ファシズムは楽しいか」と問われれば、多くの人は「そんなはずはない」と答えるだろう。

たとえばヒトラー支配下のドイツで、ユダヤ人や反対派の人びとが受けた過酷な弾圧のことを想起すれば、それがけっして「楽しい」などといえるものではなかったことはたしかだ。

だがそうした弾圧を行った加害者たちの意識に目を向けるとどうだろう。敵や異端者を攻撃することは、彼らにとって胸躍る経験だったのではないだろうか。近年わが国で問題になっているヘイトスピーチや、欧米各国で高まっている排外主義運動の背景に迫る上でも、過激な言動をくり返す加害者たちの内面的な動機、彼らがそこに見出（みいだ）している「魅力」を理解することが欠かせない。

そうした考えのもと、筆者は勤務校の甲南大学で二〇一〇年から毎年「ファシズムの体験学習」という特別授業を実施してきた。その内容は簡単にいうと、教師（筆者）扮（ふん）する指導者のもと独裁体制の支持者となった受講生が、敬礼や行進、糾弾といった示威運動を実践することで、ファシズムを動かす集団行動の危険性を体験的に学んでいくというものだ。

授業の具体的な内容と進行については、筆者が別の媒体に寄稿した記事（「私が大学で『ナチスを体験する』授業を続ける理由」『現代ビジネス』二〇一八年七月六日）を参照していただきたいが、授業に参加した学生のほとんどが驚きをもって認めるのは、大勢の仲間と一緒に行動していると気持ちがどんどん高ぶってきて、他人に危害を加えるような悪行も平気で行えるようになってしまうことだ。

だがそれにしてもなぜ、このような意識の変化が生じるのだろう。同じ制服を着て指導者の命令に従うだけで、どうして人は過激な言動に走ってしまうのか。その謎を解く鍵は、集団行動がもたらす独特の快感にある。

●集団行動の魅力

全員同じ白シャツ・ジーパンを着用してグラウンドに集まった約二五〇名の学生が、右手を挙げて一斉に「ハイル、タノ（田野万歳）！」と叫んで敬礼し、笛の音に合わせて隊列行進をくり広げる。やがてグラウンド脇のベンチに座るカップル（サクラ）を取り囲んだ彼らは、指導者の号令のもと一斉に何度も「リア充（注2）爆発しろ！」と怒号を浴びせはじめる。多くの野次馬が見守る中、拡声器の号令に煽動（せんどう）されたこの集団はどんどん声を強めていき、ついにカップルを退散させると、万雷の拍手をもって勝利の凱歌（がいか）を上げる……。

これは筆者が実施している「ファシズムの体験学習」の一コマである。事情を知らない部外者の目には、新興宗教か何かの狂信者の集まりのように映ったにちがいない。体験学習に参加した学生たちも、最初は恥ずかしさや気後れを感じていたようだ。だがこの異様なパフォーマンスに参加しているうちに、いつのまにか慣れてしまい、しだいに楽しい気分になってくる。

このような意識の変化は、集団行動が生み出す独特の高揚感によるところが大きい。参加者は全員で一緒に行動するにつれて、自分の存在が大きくなったように感じ、集団に所属することへの誇りや他のメンバーとの連帯感、非メンバーに対する優越感を抱くようになる。参加者のレポートにも、「大声が出せるようになった」「リア充を排除して達成感が湧いた」といった感想が多い。彼らは集団の一員となることで自我を肥大化させ、「自分たちの力を誇示したい」という感情に満たされるようになるのである。

そうした高揚感は、実は私たちが身近に経験しているものである。運動会の集団体操や入場行進、サッカーの試合の応援、夏祭りの神輿（みこし）巡行や盆踊りなどに参加して、えもいわれぬ興奮を覚えた経験は誰にでもあるはずだ。文化人類学や民俗学が明らかにしてきたように、人は遊びや祭りなどの非日常的なイベントに参加し、日頃抑えている欲求を発散することで、高揚感や爽快感、他者との一体感を得て、社会生活を営む活力を維持している。

この種の集団行動はいつの時代にもどんな場所にも存在するもので、普通は一時的な興奮を呼び起こすにとどまり、差別やヘイトといった加害行動と結びつくことはめったにない。それが危険なファシズムへと変貌するのは、集団を統率する権威と結びついたときである。

●集団行動がファシズムに変わるとき

集団行動が権威と結びつくと、どんな変化が生じるのか。まず生じるのは、責任感の麻痺（まひ）である。体験学習の参加者は、指導者の命令に従い、他のメンバーに同調して行動しているうちに、自分の行動に責任を感じなくなり、敵に怒号を浴びせるという攻撃的な行動にも平気になってしまう。「指導者から指示されたから」「みんなもやっているから」という理由で、彼らは個人としての判断を停止し、指導者の意志の「道具」として行動するようになる。

スタンフォード監獄実験（注3）やミルグラム実験（注4）の結果が示しているように、権威への服従は人びとを「道具的状態」に陥れ、自分の行動の結果に責任を感じなくさせる働きをもっている。そこではどんなに過激な行動に出ようとも、上からの命令なので自分の責任が問われることはない。逆説的なことに、権威に従属することによって人は行動に伴う責任から解放され、社会的な制約から「自由」に行動できるようになるのである。

しかもこうした治外法権的な状況がいったん成立すると、これを維持・強化しようとする動きが服従者の側から自発的に出てくる。それは人びとが自分の行動の責任を指導者にゆだね、その命令を遂行することにのみ責任を感じはじめるという、状況的義務への拘束が生じるためである。

体験学習の参加者も、指導者の命令に従って敵を糾弾するという行動を自分たちの義務のように感じはじめ、やがて真剣に取り組むようになる。この糾弾行動がロールプレイにすぎず、敵役のカップルがサクラであることは参加者も承知のはずだが、何度も怒号を浴びせているうちに、その声はしだいに熱をおびてくる。

「リア充が憎らしく思えた」「声を出さない人に苛立った」といった感想が示すように、彼らは自分たちの行動を正当なことと見なし、内面的・情緒的な関与を強めていく。芝居とわかっている行動であっても、人びとの「義憤」を駆り立てる危険な力を発揮しうるのだ。

こうして敵対者は容赦なく攻撃すべき「悪」となり、これを攻撃する行動は「正義」となる。自分は権威＝善の側に立ち、その後ろ盾のもとで悪に正義の鉄槌を下すという意識なので、攻撃をためらわせる内面的な抑制は働かない。それどころか、この「義挙」の前に立ちはだかるいかなる制約も正義を阻む脅威と見なされ、「自衛」のためにさらなる暴力の行使がもとめられることになる。

敵や異端者への攻撃の中で、参加者は自分の抑圧された攻撃衝動を発散できるだけでなく、正義の執行者としての自己肯定感や万能感も得ることができる。そこに認めることができるのは、暴力が歯止めを失って過激化していく負のスパイラルである。

●日本に見られるファシズムの萌芽

このようなファシズムの危険な感化力は、私たちにも無縁のものではない。近年わが国では在日韓国・朝鮮人に対するヘイトスピーチやヘイトデモが大きな社会問題になっているが、民族的出自の異なる人びとへの憎悪や敵意を煽る加害者たちの差別的・排外主義的言動が、権威と結びついた集団行動の過激化のパターンをなぞっていることは明らかだ。

彼らにとって、在日韓国・朝鮮人とこれを支援する人びとは「反日勢力」であり、日本で不当な特権を享受しながら破壊工作を行う「売国奴」である。それゆえ、これを差別・攻撃することは「正義」であり、「日本のため」の正当防衛であるということになる。

たとえば、朝鮮学校への補助金交付をもとめた各地の弁護士会の声明をきっかけに、複数の弁護士に対して大量の懲戒請求が寄せられた事件（「ブログ信じ大量懲戒請求　『日本のためと思い込んでいた』」「朝日新聞」二〇一八年六月二三日）を見てみよう。あるブログの呼びかけに応じて懲戒請求を行った人物が、弁護士から損害賠償をもとめられた後になって「日本のためになると思い込んでいた」と反省の弁を述べたのは、いかにも特徴的だ。

この人物を行動へと突き動かしたのは、「日本を守らねばならない」という使命感であり、「反日勢力」の脅威に対する危機意識である。だがそこには、自分の行動とその目的に対する責任ある判断が欠けている。

そうした人びとにとっては、敵対者の脅威が現実に存在しているか、これに対する自分の行動が適切かは問題とならない。重要なのは、自分がどれだけ怒りを感じ、使命感を呼び覚まされたかである。それゆえ、彼らの思想・信条をいくら究明したところで、過激な行動に走る理由を十分に理解することはできない。

差別的な言動をくり返す加害者たちの内面的な動機に迫る上ではむしろ、彼らがそうした活動の中で感じる解放感、自分の感情を何の制約も受けずに表現できる「自由」の経験に注目することが必要だろう。

「日本」というマジョリティの権威を笠に着ながら、数の力で社会的少数派や反対派に攻撃を仕掛けるという行動は、権威への服従がもたらす「責任からの解放」の産物である。彼らはこれによって存分に自分の欲求を満たしながら、堂々と正義の執行者を演じることができる。その何物にも代えがたい快感にこそ、ファシズムの危険な魅力があるといってよい。

●ファシズムに飲み込まれないためには

ファシズムが「悪」であり、民主主義社会の基本的価値と相容れないことは、今日では誰もが知っている。ヒトラー率いるナチスがユダヤ人や反対派を弾圧し、戦争とホロコーストに突き進んでいった歴史を、私たちはくり返し学んできたはずだ。だがそれが遠い過去の出来事にとどまるならば、いま「義憤」に駆られて「自衛」に走ろうとする人びとを押しとどめることはできない。

ファシズムを悪なるものとして否定するだけでは、多くの人びとがその魅力に惹きつけられ、歓呼・賛同しながら侵略と犯罪に加担していった歴史の教訓をいかすことにはならない。それどころか、臭い物に蓋をするような生半可な教育は、人びとを無免疫のまま危険にさらすことにもつながる。「ファシズムの体験学習」の狙いも、若い世代に適切な形で集団行動の危険に触れさせ、それに対する対処の仕方を考えさせることにある。

これまで九回実施した体験学習では、受講生の参加意欲は非常に高く、授業の狙いを的確に理解して、集団行動の効果に対する認識を深めているようだ。「自分たちと異なる人を排斥したくなる気持ちが理解できた」「中学・高校まで制服を着ていたことが怖くなった」などと感想を書いた学生もいる。

ただしこうした危険な授業を実施する上では、アフターフォローに細心の注意を払う必要がある。何よりも重要なのは、受講生が自らの体験をファシズムの危険性に対する認識につなげることができるよう、的確なデブリーフィング（被験者への説明）を行うことである。本記事もまた、そうした取り組みの一環といってよい。

「ファシズムの体験学習」から得られる最も大きな教訓は、ファシズムが上からの強制性と下からの自発性の結びつきによって生じる「責任からの解放」の産物だということである。指導者の指示に従ってさえいれば、自分の行動に責任を負わずにすむ。その解放感に流されて、思慮なく過激な行動に走ってしまう。表向きは上からの命令に従っているが、実際は自分の欲求を満たすことが動機となっているからだ。そうした下からの自発的な行動をすくい上げ、「無責任の連鎖」として社会全体に拡大していく運動が、ファシズムにほかならない。

この単純だが危険なメカニズムは、いくぶん形を変えながら社会のいたるところに遍在している。学校でのいじめから新興宗教による洗脳、さらには街頭でのヘイトデモにいたるまで、思想の左右を超えた集団行動の危険性を、私たちはあらためて認識する必要がある。世界中で排外主義やナショナリズムの嵐が吹き荒れている今日、ファシズムの危険な魅力に対処する必要はますます高まっている。大勢の人びとが熱狂に駆られて「正義の暴走」に向かったとき、これに抗(あらが)うことができるかが一人一人に問われているのである。

注1　ファシズム／狭義には、第一次世界大戦や世界恐慌後の混乱を背景に、イタリアやドイツなどで台頭した独裁的・全体主義的な政治運動・体制を指す。議会制民主主義の否定、偏狭な民族主義や排外主義、暴力による市民的自由の抑圧といった特徴をもつ。広義には、指導者への絶対的な服従と反対者への過酷な弾圧を特色とする共同体統合の原理・手法を意味する。

注2　リア充／「現実（リアル）の生活が充実している人」を意味するネットスラング。主に彼氏・彼女がいる人のことを指す。

注3　スタンフォード監獄実験／一九七一年、アメリカの心理学者フィリップ・ジンバルドーが行った実験。スタンフォード大学の地下実験室を模擬的な刑務所に仕立て、公募した被験者を看守役と囚人役に分けて、それぞれの役割を演じさせた。六日間で中止されたこの実験によって、看守役が囚人役に対して自発的に暴力をふるうようになることがわかったが、最近になって看守役に対する演技指導などが指摘されたことで、実験結果には疑義も出ている。

注4　ミルグラム実験／アイヒマン実験とも呼ばれる。一九六一年、アメリカの心理学者スタンリー・ミルグラムがイェール大学で行った実験。公募した被験者を教師役とした上で、生徒役が問題を間違えるたびに段階的に強まる電気ショックを与えるよう指示した（実際には電流は流れておらず、生徒役は苦しむ演技をするサクラだった）。実験結果は、約三分の二の教師役＝被験者が致死的な電気ショックを与えたというものだった。

二〇一八年五月二五日　公開

国内外で懸念される日本の科学の未来

京都大学名誉教授　佐藤文隆

構成・文　濱野ちひろ

二〇一七年こそ受賞を逃しましたが、ここしばらく何人もの日本人科学者がノーベル賞を受賞しました。彼らの多くがインタビューの折に「このままでは日本の科学が危ない」と懸念をうったえ、多くのメディアも同様の見解を報じています。さらに、国際的科学誌「Nature」までもが科学技術立国・日本の未来を案じた「Nature Index 2017 JAPAN」という特集を組んでいます。「日本の科学の凋落（ちょうらく）問題」を宇宙物理学の権威・佐藤文隆氏が語ります。

●日本は何を間違えたのか？

「日本の科学技術の凋落が始まっている」とメディアで取り沙汰されることが多くなっていま

す。しかし、私に言わせれば「凋落」という表現は妥当ではありません。何をもって「科学の凋落」と言っているのか。背景には、偶然重なった次に述べる三点が混同されている事情があります。

第一に、日本のモノづくり産業が国際市場で敗北した点。第二に、大学の衰退。第三に、研究の現場の問題です。本来、この三点は別々の問題で解決策も異なりますが、これらを整理しないで捉えているので、あたかも日本の科学が凋落しているかのように感じられているのです。では、順を追って説明しましょう。

まず、第一の問題点、日本のモノづくり産業について。日本は科学技術に特化し、ハードウェア産業を得意としてきました。さすがモノづくり大国というだけあって、日本ならではの視点でハイレベルな挑戦を続け、さまざまな製品を作り出してきました。たとえば液晶のパネルなら、日本は「もっときめ細かく、もっと画素数を高く」と追求していく。人間の目ではもはや区別できないあたりまで挑戦する。研究や医療の機器といった特殊なものならまだしも、一般の家庭のテレビでそこまでのきめ細かさは必要とされないのに、日本はそういう方向性で突き進んできました。そして、この姿勢一本にしたがゆえに、日本は国際市場で負けてしまったのです。ハードに特化しすぎて、ソフトで負けたわけです。

モノをいくら進化させたところで人間はこれ以上進化しないのですから、むしろ人間とモノの関係性を総合的に捉えながら産業を生んでいく必要があります。グーグルやアップルなどに代表される情報産業が伸びたゆえんです。残念ながら、日本はそのバランス感覚に欠けていました。

とはいえ、日本のモノづくり産業の地位はまだまだ世界的にも高いと言えます。しかし、完成品ではなく部品のサプライヤーとしての存在感が強くなっているので、過去に比べれば当然儲けが薄くなっている。そういった焦りが「科学技術の凋落」という印象を生んでいるのですが、これは日本経済の問題です。

第二の問題点、大学の衰退について。大学は今や不況産業と言われていますが、これは事実でしょう。理由は単純明快、少子化だからです。人口が減っているのだから、これまで通りでは成り立たなくなるのは当然です。イギリスでもかつて少子化により学生数が減ったことがありました。その際、イギリスの大学は留学生を大幅に受け入れることで規模を維持することができました。しかし、日本ではそういった動きが起きていません。日本は英語圏ではないため、留学生が集まりにくいという側面はあるにしても、留学生を迎え入れる努力は今後必須です。論文数が減っている事実についても、研究に携わる人数が減れば当然です。「大学が衰退するから科学も衰退したのではないか」という印象を与えるようですが、大学問題はむしろ現在の日本が抱えている少子化問題の一つの表れと言えます。

世界の科学技術分野の論文数の推移

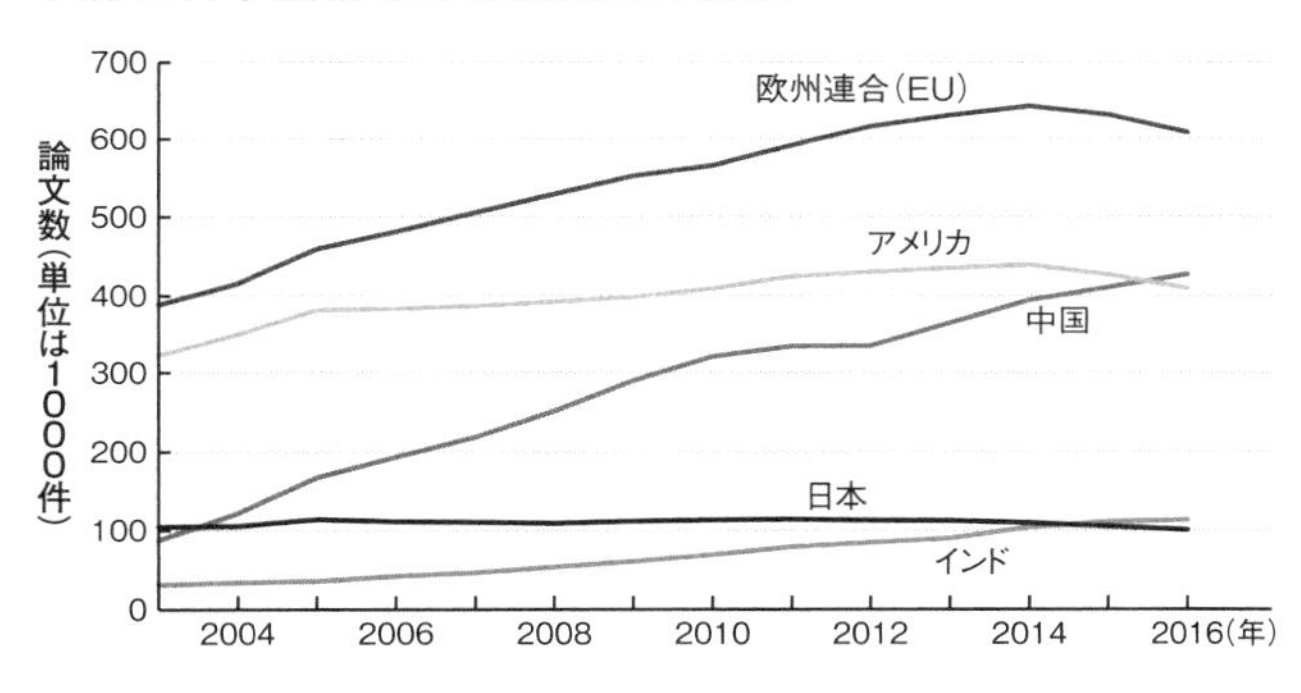

科学技術分野の論文数で常に1位を誇ってきたアメリカを、中国が2016年に追い抜き、1位となっている。欧州連合はドイツ、イギリス、フランスなど論文数上位国の合計となり、日本は実質6位に相当する。

NSF（National Science Foundation：アメリカ国立科学財団）の調査をもとにイミダス編集部が作成

第三の問題点、研究の現場の問題について。これには、研究のための資金の獲得・分配の側面と、人材不足の側面があります。

まず前者に関してですが、先端の研究には非常にお金がかかるので、経済力と科学の発展が関係しているという現実があります。最近のノーベル賞の日本人受賞者を見てみれば、一九七〇年代後半以後に余裕を持った資金を獲得していた研究が多い。お金に詰まってアイデアが出たという話もあるが、やはり余裕がアイデアを生み出す場合のほうが多いのです。たとえバブル経済でも好景気は好景気で、あの時代の余裕ある雰囲気が研究を下支えしていたことは間違いありません。福祉の負担で社会に余裕がない今、資金の分配方法については、知恵を出さないといけない状況だと言えます。

●まるで「首の絞め合い」

一九九〇年代後半に、日本は「科学技術創造立国」を目標に掲げて研究開発の推進に取り組み、巨額の研究費が大学に集まるようになりました。一九九五年に「科学技術基本法」が制定されて、以後は毎年五カ年計画で研究費が増やされていきました。ただし、この研究費は黙っていても配られるものではありません。国立大学に分配される補助金である「運営費交付金」は法人化した二〇〇四年度以降年々縮小されていて、代わりに各研究室・研究者が応募して獲得する「競争的資金」が伸びています。

この競争的資金を得るために、研究現場では絶えず申請書作りをやっています。メジャーな大学の教授は多くの時間を費やして、申請書の作成のみならず、他の研究者の申請書の審査をしなくてはなりません。分厚い申請書というのは書くほうも大変ですが、読むほうも大変。どれも先端の研究だから、その分野の専門家でないとわからないため、互いに審査し合うしかなく、結果的に互いの首を絞め合っているとも言えます。

全部を競争的資金にするのでなく、ベーシックな部分の資金は初めから分配したほうがいいと思います。そうすれば、審査が必要な部分は減り、審査に忙殺される時間の問題がまず軽減されます。とはいえ、国が用意した研究費のすべてを一律に配るのは合理性がないので、やはりよい研究に資金が投じられるように審査はしなければいけません。

そのためには「研究組織の格付け」を行い、多くの研究費を獲得できる組織をあらかじめ指定するのが解決策の一つとなります。文部科学省は、二〇一八年の三月に大学を機能ごとに分ける枠組み案を示しました。私立大を含め、大学を「世界的研究・教育の拠点」「高度人材の養成」「実務的な職業教育」の三種類に分類し、大学ごとの特色を明確にするということのようですが、この分類で言えば、「世界的研究・教育の拠点」となる大学に特に研究費が集まるようにすればよいのです。それは広い視野での「世界的研究」であり、純粋科学に特化したものでもありません。実験設備の継続した効果的運用からいってもこういう重点化は必要になると思います。

戦後、日本の大学は横並びを理想に掲げました。大学数、大学院数は年々増加しましたが、各大学に特色を持たせるよりは、似たような大学を何百と作る方向に流れました。経済力向上で進学率も高まり、大学も増えた。進学率の上昇は民主主義の拡大という先進国の特徴ですが、従来のエリート養成の大学を基準にすれば、量の増加は質の低下を意味します。たとえば、大学進学率が一〇%の国と六〇%の国があるとすれば、一〇%の国では少数精鋭の秀才が集まってくるから自然と質の高い研究が生まれやすいのですが、六〇%の国では逆のことが起こります。みんなを平等に教育しようとすれば、レベルも平均化されてしまい、特化した能力に抜きんでたものが生まれにくくなるわけです。

みんなが同じものを平等に目指すという戦後の大学教育は、量的に拡大した今では限界が来たと考えざるを得ません。今後は大学の多様化を前提にした分類を行って、先端研究という特殊な業務を目的とする大学と、そうでない別の特徴を持つ大学とを分けて、研究費の分配作業も効率化して安定したものにすべきでしょう。そして、先端研究に意欲のある人間はそういう大学や組織の人事で勝負する流れになっていくでしょう。

●日本のあり方に発想の転換を

前述したように、第三の問題点（研究の現場の問題）には、人材不足の側面もあります。これは人口問題とも関係します。研究に携わる人数が減っているので、論文数も論文の引用件数も当然ながら減っている。一方で中国を筆頭に他国の論文数および引用件数が急増しているので、総体的に見て日本のインパクトは大きく減っています。

ただ、引用件数のみに着目して研究の質を決める方法は、すでにあまり客観的な手段ではなくなりつつあります。仲間内でさかんに引用し合って引用件数を安易に増やす悪例も蔓延（まんえん）しているからです。とはいえ、現状では論文件数と引用件数は重要なファクターでしょう。日本の

論文の国際引用件数順位

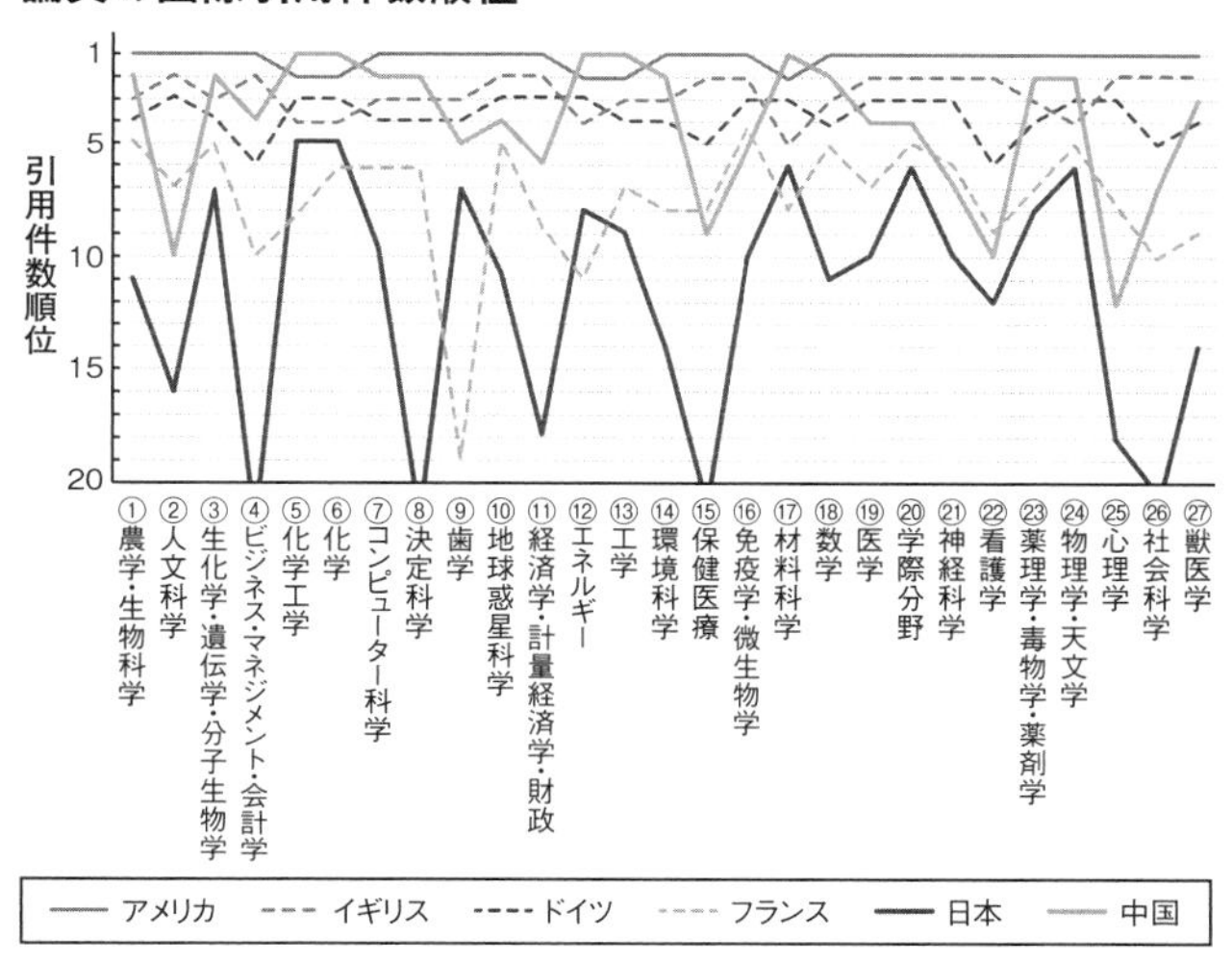

Scopus データベース 2016年版(Elsevier社)から国立研究開発法人 科学技術振興機構(JST)が集計した資料「TOP10%論文数(2010-2015年)の国際シェアの各国順位」をもとにイミダス編集部が作成

研究者数が減って、論文による研究力評価の数値も落ちています。

　ならばどうすればいいか。解決策は簡単で、海外から多くの研究者を招き入れればいいのです。研究員の半分くらいは外国人という状況になってもいいと思います。そういった環境によって刺激し合うことで、発想の多様性も生まれます。もちろん、日本の研究者も海外へと積極的に出て行ったほうがいいのです。

　日本は今後、これまでの実績を活かして世界の中で研究の「場」を作る役割を担うべきです。いくら経済が衰退していると言っても、横ばいで伸びていないということで、まだまだ経済大国であることには違いなく、研究上の経験や実績もあり、研究機関や実験施設、装置を作る力はあります。そこにどんどん海外から人材を呼び込むのです。

二〇一七年のノーベル物理学賞を受賞した重力波の研究では、受賞者のレイナー・ワイス、バリー・バリッシュ、キップ・ソーンは全員アメリカ人ですが、論文に名を連ねる研究に関わった人数は一〇〇〇名以上で、アメリカ人は全体の四分の一に過ぎません。しかし、研究機関はアメリカが設置したものだから、ノーベル賞はアメリカのものになるわけです。「日本の科学が凋落する」とやみくもに不安がる前に、日本も実績のある領域でこういった方法を採ればよいのです。つまり、研究の「胴元」になる。そして、研究員の国籍は問わない、と。

●国民の意識も変わらなければ

ここでもう少しノーベル賞の話をしましょう。日本で「科学」への興味が高まるのは、年に一度のノーベル賞発表の時期です。毎年、日本人が受賞するかどうかにだけ関心が集まり、賞が獲れれば万歳、獲れなければ「日本の科学の凋落では」と不安がる。この状況がそもそもおかしいのです。ノーベル賞に関心を持つ意義は、現代社会や実生活に寄り添った研究への評価であり、毎年の受賞傾向を追っていれば世界の科学の潮流を理解できるという教養的な側面もそこにあって、賞の獲得レースではありません。にもかかわらず、現在の日本における報道のされ方は、「日本人がいくつ賞を獲るか」に焦点が置かれすぎ、科学の中身への関心ではなく、ナショナリズム高揚のツールになってしまっているように危惧します。

先に述べたように、海外から研究者を多く受け入れて、研究の場に国際性と多様性を促すことが日本における基礎研究の再興につながります。このような発想になかなかならないのも、ナショナリスティックな感覚が邪魔しているからではないでしょうか。たとえば、中国の科学研究の発展に言及する日本のメディアが少ない事実からも、ナショナリズムを感じます。

中国は現在、次々にブレークスルーの実験を行い、基礎科学でも素晴らしい実績を挙げています。国際的な科学雑誌「Nature」も「Science」も中国のこうした話題をよく取り上げるのに、日本ではなぜかほとんど話題にしない。追い越していく隣国の成長を直視したくないのかもしれません。その反面、飛ぶ鳥を落とす勢いの中国と比較して、自国が「凋落する」と憂えているようにさえ見えます。しかし、中国は人口も国土も日本の一〇倍以上という規模なのだから、日本を追い越して成長するのは当たり前ですし、今後もそれは変わりません。日本はナショナリズム的感傷に浸るのではなく、海外の研究者を巻き込んで研究の場を活性化させる方法を考えなければなりません。

●数学教育から見直しを

最後に、研究制度とかの問題ではなく、将来を見据えた日本の学校教育の改革について述べたいと思います。学校での数学の教育についてです。日本では「数学は清貧の尊い学問」というイメージが強い。そして、算数という教科も数学という学問の入門みたいに思っている人がいますが、欧米では数学はむしろ金儲けの学問なのです。統計学、社会、経済の数学が幅を利かせています。数学と聞くと純粋数学を思い浮かべてしまう日本とは対照的です。

今後は日本も欧米のような数学にイメージを変えることが必要です。つまり、数学が応用されている大きくて力強い実学実業の世界があり、その周辺に純粋数学が基礎を支えるものとして引っ付いているというイメージです。この方向へと日本も転換したほうがいいと思います。数学というのは自然現象だけでなく、社会現象をも記述できるものです。これまでの日本での数学教育は、文系理系で分けるので、自然科学の基礎みたいなイメージがありました。今後は社会現象を数式で書くような訓練をする必要があるのです。

具体的には、たとえば高校の段階で統計やデータを生徒たちに与え、そこから法則的な傾向を見出す(みいだす)ような勉強に変えていく。最初からコンピュータを触るのが二一世紀の数学です。デジタルデータが先にあって、すでに完成されたソフトを使ってまず計算をしてみる。なぜ、グラフがそのような描かれ方になるのか、なぜその数式がそうなるのかは体験した後から考える。「体験してから思考する」のが、これからの多くの人間にとっての数学のあり方ではないでしょうか。もちろん、そうではない純粋数学の領域はありますが、それは大きな数学の世界から見れば特殊な部分であり、その特殊さで数学が社会に持つ意義が覆い隠されるべきではないと思います。数理機器の普及でさまざまな生活の側面に数学が入り込んでいく新しい時代が始まろうとしているからです。

昔ならば、毎日空を見上げて天体の動きを観察して自然科学に目覚めることもあったでしょうが、今は、夜空は明るすぎて星など見えません。その代わりに、高度な数理や測定の機器が身の回りにあります。社会が変わるのに応じて、数学への目覚め方はもちろん、教育の方法も変わってしかるべきなのです。

数学教育から変えていくことで、日本がこれまで抱えてきた弱点を乗り越えることができるかもしれません。冒頭に述べたように、日本はモノづくりに特化するあまり情報産業の発展に乗り遅れましたが、これも社会現象を記述する数学のセンスが欠けていたからです。

現在、AI産業が注目されていますが、この分野でもそういったセンスが必要です。スマホのような情報機器をみんなが携帯する時代になりつつあります。そこでは社会の動向から人間の不可解な行動までの世の中とコンピュータの作動を結びつける数理科学が必要となるのです。

数式に乗るデジタル情報に変換しないと、スマホというコンピュータは作動しないからです。

結論として、日本の科学はまだ「凋落」はしていません。そのような印象を持つに至っている理由には、情報産業での敗北と、日本経済がかつての勢いをなくしたことへの不安、さらに人口減による大学の衰退、そして研究費の獲得と分配に関する問題、メディアによる報道のあり方などが絡み合っています。人口減は経済にも当然影響を及ぼしますから、「凋落」を感じさせる根本問題はここにあると言えますが、こと「科学」に関して言えば、研究者を海外から受け入れたり、研究費を効率よく分配したりする、また、数学教育を改革したりすることで、主要な問題は解決されます。実績に裏付けられた財産を活かす賢明さが必要でしょう。

二〇一九年四月一九日　公開

歴史学者は「歴史修正主義」とどう向きあうか？

歴史学者　成田龍一
構成・文　安田峰俊

「アウシュビッツ否定論者」が繰り返し現れるように、歴史を揺らそうとする動きは絶えません。

歴史とはなにか、その役割とはなにか。フェイク・ニュースが溢れかえる「ポスト・トゥルース」の時代を生きる私たちは、歴史学と歴史物語をどのように読むべきなのか。修正主義に抗うには、歴史学になにが必要なのか？

●歴史を通して考える、「私たちは何者か？」

最近、日本では「私たちは何者か」を問う、歴史に関する書籍が注目を集めています。二〇一六年にはイスラエルの歴史学者ユヴァル・ノア・ハラリの『サピエンス全史』(河出書房新社)が大ヒットし、二〇一八年の同著者の『ホモ・デウス』(同)と合わせて一〇〇万部以上のヒットを記録しました。これまでの歴史の見方を変えていくような著作として、読まれているように思います。

また、同じく二〇一八年に刊行された作家の百田尚樹(ひゃくたなおき)さんの著書『日本国紀』(幻冬舎)も、多くの批判を受けながらも六五万部以上のヒットとなりました。私自身は一人の歴史家として、『日本国紀』の叙述の手法やそこに含まれた歴史認識(=イデオロギー)に批判的な見解を持っていますが、同書が「私たちは何者か」という問いかけを前面に出し、教科書に代表される歴史観を批判し、少なからぬ読者を獲得した現象それ自体は、やはり現代という時代の性質を反映したものであると考えています(もっとも、『日本国紀』などは、百田さんが批判する歴史教科書と重なっても見え、同根のように思えます)。

歴史とはなにか、そして歴史学とはなにか、歴史家とはいかなる存在か――?　近年の「歴史」にかかわる書籍のブームについて考えるうえでも、また次の世代が学んでいく歴史の教科書のありかたを考えるうえでも、こうした問いかけに答えを提示することは、ますます重要となっています。

まずは、歴史学と歴史を区別しておきましょう。歴史はさまざまな「学知」によって叙述されます。以前は、歴史学がもっぱら歴史叙述を担っていましたが、最近では社会学や文化人類学、歴史社会学による歴史叙述も活発です。

さて、そのうえで、次には、歴史学の変遷にも目を向ける必要があります。歴史学の推移によって、歴史が変わってきています。なによりも、歴史の叙述に変化が出てきます。（決まりきったように見える）歴史の書き方にも、変化があるのです。

●日本の歴史研究の三つのパラダイム

戦後、日本の歴史学が歩んできた歴史（史学史）は、大きく分けて戦後歴史学、民衆史研究、社会史研究の三つのパラダイムに分けることができます。まず、議論の入り口としてこの三者について簡単に述べてみましょう。

（一）戦後歴史学

第二次大戦の敗戦を経た日本の歴史学がまず求めたものは、大日本帝国を戦争へと歩ませた皇国史観への反省でした。極めて物語的で主観的だった皇国史観に対して、民主化を迎えた日本では客観的・科学的・法則的な歴史学を打ち立てることが求められました。当時の時代背景のもとで、最も「科学的」であると考えられていたのはマルクス主義の史的唯物論でしたから、一九六〇年代ごろまではこの方法に拠った歴史学研究の姿勢が力を持つことになります。これが「戦後歴史学」です。

戦後歴史学は、古代・中世・近世・近代……と時代につれて人間の歴史が「進歩」してきたとみなす進歩史観と、「下部構造」である経済構造の変化によって「上部構造」たる政治や文化も変化すると考える社会経済史的なアプローチに大きな特徴があります。これは現在の視点で見るとやや単純な考え方に見えますが、当時においては非常に説得力がありました。戦前の日本は近代の顔をしつつも封建的要素を数多く持っていた、新しい日本は過去の時代よりも「進歩」して本当の近代を迎えるのだ――、という多くの人の期待と共鳴したのです。また、ポスト冷戦期である現代では不思議に感じる人も多いでしょうが、一九五〇～一九六〇年代当時の人々のマルクス主義に対する信頼は大きなものがありました。

(二) 民衆史研究

しかし、やがて民主主義が浸透するにつれ、一九六〇年代からは、戦後歴史学に対する補完(同時代的には「批判」という認識でした)として「民衆史研究」という潮流が登場します。

戦後歴史学において「下部構造」として経済活動や生産活動を担う「民衆」とは何者か? 歴史は進歩するというマルクス主義の基本法則が仮にあったとして、「民衆」を構成するわれわれ一人ひとりの「個」も法則通り動いているに過ぎないのだろうか？　われわれ「民衆」の主体性と社会構造、さらに歴史の移行とはどのように関連しているのか？　これらの問題意識から「民衆」にフォーカスして歴史を考える動きがはじまり、一九七〇年前後に非常に支持を得て、歴史学のありかたを大きく塗り替えていったのです。

しかし、このころ、新たな問いも生まれてくることになりました。

戦後歴史学では、歴史はいわば事件や政変を時系列で並べたものであったので、これが「誰」によって提示された歴史なのか、ということはほとんど問題にされませんでした。しかし、一九七〇年代に入り、網野善彦さんのように、個々の歴史家が、それぞれの考える歴史を提示するようになると、様相が変わります。

民衆史研究で言うならば、個人を「民衆」として括りあげ、歴史に巻き込まれる民衆側の視点を読み解いてその歴史を語る「歴史家」もまた、民衆の一員です。それでは、歴史家とはいかなる存在なのか。歴史学はこの問題に突き当たります。

（三）社会史研究

そこで一九七〇年代なかばからは、現在まで続く、第三のパラダイムである「社会史研究」の潮流が生まれることになります。

歴史を語る存在である歴史家もまた、歴史的な制約のなかに存在している。すなわち、現在の時代の価値観を持ったうえで、過去の歴史と向きあう存在であることについて、自覚的になる視点が生まれてきます。

社会史研究では、過去を一種の異文化（他文化）であると考えます。ちょうど文化人類学者が異文化（他文化）の地でフィールド調査をおこなうように、歴史家も「過去」に出かけてフィールド調査をおこない、その異文化（他文化）を記す。歴史学とは「過去」という異文化（他文化）を体験する学問だというわけです。これは自文化（近代）を相対化する作業であり、多様性の認知につながる方向性でした。

かつてマルクス主義の進歩史観では、中世は古代より進歩した時代、現代は近代や近世よりも進歩した時代――であると考えられてきましたが、社会史研究はそう考えません。私たちが生きている現在と、ある過去の時代はそれぞれが異なる文化ですから、文化間に本質的な優劣はない。現代人の目から見ると意味がわからないものでも、当時の人たちにはそれなりの意味があった。その意味を解き明かすのが社会史研究の使命と考えるのです。

例えば時間や空間の捉え方も、現代人である私たちのイメージと、過去のある時期の人たちのイメージは異なります。三六五日間を「一年」だと考え、さらにその時間の長さをどう感じるか、そうした感覚すら異なっています。社会史研究のまなざしのなかで、現代の私たちと過去の人たちとの価値観や社会認識の違いが発見されてくるわけです。

そこから、従来の戦後歴史学や民衆史研究が、主に政治や民主化運動といった、ごく短い時間で変化するものだけに注目してきたことへの反省も生まれてきます。長い時間を通じてようやく変化する気候や風土や地形、中程度の時間で変化していく人間の交際関係や家族関係、男女の愛情関係といったものへも、観察の視点が向けられるようになったのです。


だいぶ長く記しましたが、このことは、「歴史は事実だ」という表現が、言われるほど単純ではないことを意味しています。たしかに、歴史は「事実」を出発点にするのですが、その事実がむき出しに置かれているのではない、ということです。

第一に、誰にとっての「事実」であるのか。誰が書きとめた「事実」であるのか。「事実」にも、解釈が先行しているということです。

第二には、「事実」は無数にあるなかで、取り上げられる「事実」、取り上げられない「事実」があることです。すなわち、「事実」に軽重がつけられています。当たり前のことのようですが、ここまで紹介した「戦後歴史学」「民衆史研究」「社会史研究」という三つのパラダイムでは、それぞれ重視する事実が異なっています。

以上のことは、縮めて言えば、「歴史は事実」と言うときに私たちが見ている「事実」とは、無数の「事実」のなかから恣意的に解釈され、選択されたものである、ということです。このことは、歴史は「事実」を出発点にするが、「解釈」をはらんだものであるということにほかなりません。

解釈の相違――事実の選択の差異、解釈の差異が、「戦後歴史学」「民衆史研究」「社会史研究」という三つのパラダイムをもたらしたのです。

●「教科書」とはなにか

さて、目を歴史教科書に向けてみましょう。学校の教育で用いられる歴史の教科書は、いま現在の歴史認識を最も整合的に反映した存在、いま現在の人が次世代に伝えたい歴史への考え方のエッセンスが反映された存在です。日本の歴史教科書は、上記の戦後歴史学、民衆史研究、社会史研究の三つのパラダイムが、地層のように積み重なって反映されています。

基層をなすのは戦後歴史学です。すなわち、古代・中世・近世・近代・現代というお馴染みの時代区分は、もともと戦後歴史学のなかで強調されてきたもので、現在でも教科書の大きな枠組みとなっています。また、山城国一揆や打ちこわし、米騒動といった社会運動の記載は、民衆史研究の成果が反映されています。いっぽう、「家族」の概念の変遷といった社会史研究の成果は、主にコラム的な記載のなかで紹介されることが多くなっています。

教科書の本筋において、政治や社会運動といった短いスパンでの変化の記載が中心となっているのは、社会史研究の成果が十分に反映され切っていない面もあり、残念に思える部分もあります。しかし、近代を相対化して「古代とされる時代とは、近代の人間が考える古代に過ぎない」「中世とされる時代とは、近代の人間が考える中世に過ぎない」といった立場で、初学者向けの基礎的な教科書を作っていくことは極めて難しいでしょう。

まずは歴史の基礎、歴史の〝文法〟を押さえてもらうために、教科書が「○○の乱」「××の改革」といった事実を並べていく記述になることは、少なくとも現段階の歴史教育においては、そうせざるを得ないところがあります。

こうした意味合いにおいて、歴史教科書とは、多くの人々が最初に接する解釈であり、そのゆえに多くの人々に訴えかける最大公約数的な解釈を示したものである、ということができるでしょう。歴史という旅に出かけるツールであり、最初のガイドということになります。

●歴史家とはなにか

歴史を解釈すること、解釈して叙述することを、職業的に担っているのは歴史家です。歴史家ならば誰もが参考にする本として、一九六二年に翻訳出版されたE・H・カーの『歴史とは何か』(岩波新書)があります。歴史や歴史学について考えるヒントが多く詰め込まれた著作ですが、なかでも最も有名なのが「歴史とは歴史家と事実との間の相互作用の不断の過程であり、現在と過去との間の尽きることを知らぬ対話」という一文です。社会史研究の言葉に翻訳すれば、歴史を考えることは自文化と異文化（他文化）との対話である、現在の価値観と過去の価値観との対話であるという意味になるでしょうか。

カーは、あわせて歴史を知るためには、歴史家を知らなければいけないとも述べています。ここで言う歴史家とは、大学で教鞭を執る職業的な歴史家だけを指しません。多くの人々の歴史意識に、説得力を与え得る言説を提供する存在のことです。歴史家とは、現在の人々の持つ歴史意識を集約して表現している人を指す言葉なのです。

ただ、歴史家についてはカーが提示した定義に加えて、「歴史学の方法」を踏まえているかという基準も認識する必要があります。例えば、教科書のもとにもなっているアカデミックな歴史学と、一般の人に影響を与えている「歴史」物語について扱ったとされる著作——。すなわち、例えば司馬遼太郎さんや井沢元彦さん、百田尚樹さんといった作家の著作が述べる「歴史」物語との違いについての問題です。

多くの人々の歴史に対する集合的な意識を代表している点では、司馬さんをはじめとした歴史作家たちも、もしかすると「歴史家」と呼ぶことができそうにも思えます。しかし、ここであらためて確認したいのは、歴史叙述において「歴史の作法」を踏まえているかです。これは、歴史家のギルド（同業者組合）を特権化したり、保護したりするという意味ではありません。歴史を叙述する際の最も基本的な作法という意味合いで述べています。このことは、幾重にも強調しておきたい点です。

●歴史の作法とはなにか

「歴史の作法」とは、自分はこれを明らかにしたいという問題意識を設定したときに、その問題意識に基づいて史料を集め、客観的に解釈し、叙述する行為を指します。根拠（典拠）―論理―叙述という営みが「歴史の作法」です。そのとき、史料から読み取れないことを無理やり言ったり、そもそも根拠が存在しない自分個人の思いを強弁したり、論理を飛躍させたりといったことは禁じ手です。もちろん、最初から結論ありきで、それに都合のいい証拠（史料）だけを切り貼りして、自説に不都合な証拠を無視してしまう行為もいただけません。

これは歴史学のみならず、他の世界でも当たり前の話です。所定の診察や検査をおこなわずに「君は絶対に○○病だ」と断言する医師や、投球を見ないで「あの投手が投げた球だからストライクだ」と強弁する野球の審判がいたら、普通は信用されません。やはり、医師にも野球の審判にも、そして歴史家にも、判断を下すうえで踏まえるべき一定の基本ルールがある。大胆な説を展開すること自体は構いませんが、その論理を構築するプロセスには、一定の約束事が求められるのです。

歴史には比較の視点も求められます。この史料からはこう言えるが、別の史料ではこうも言える……、といった多数の史料を比較したうえで、自身の問題意識とさまざまな史料の記述が一致しているかを明らかにするわけです。また、過去の研究の蓄積を参照して比較することも重要ですし、ある歴史的な事柄が、他国や他の時代においてはどうみなされているのかを比較して考察する視点も必要です。

さらに言えば、歴史とは、先に述べたように解釈に基づいています。解釈の積み重ね、解釈の検討によって、現在の解釈に至っています。そのため、みずからの見解を述べる際に、有力な解釈への向きあい方を明らかにすれば、説得力が増すでしょう。ある歴史観を歴史書として提供するときには、こうして「歴史の作法」が踏まえられていることが必要です。

歴史の叙述とは、出来事を説明し、解釈し、批評するという三つの層からなっています。この三者は緊密に結びついていますが、どこかが欠けたり、恣意的になると説得力を欠くばかりでなく、独善的で主観的な歴史叙述となってしまいます。

あくまでも手法の面を批判するなら、例えば現在話題となっている『日本国紀』には、主張の典拠を明らかにするといった「歴史の作法」を踏まえた形跡や、比較の視点は見られません。これは作者が個人的に述べたいことを記した文章ではあっても、歴史書として読むことはできないものです。

もちろん、歴史作家の書籍には、個々のエピソードについては興味深い記述があります。しかし、興味深い事実も、それ単独ではひとつのエピソードでしかありません。「学知」として提供される歴史叙述では、それにどのような意味づけをするかが重要になります。

歴史を叙述することは、歴史像を語ることです。歴史像のなかに各個の事実をどのように組み込むかによって、エピソードが歴史的な事実になるわけです。単に「○○という人がいた」「××事件があった」という個々のエピソードをたくさん知っていたとしても、それは情報提供にとどまって、歴史叙述とは言えません。大学教員のポストを持っていたり書籍をたくさん刊行していたりすることは、もとより歴史家の資格・条件ではありません。しかし、歴史を語る方法――「歴史の作法」を踏まえることは、重要な条件であり「資格」なのです。

●トンデモ言説にどう対抗するか

従来の学問の成果や教科書の記述に真っ向から異を唱え、「既存のルールにとらわれない」ことを売りとして、「私はこうだと思う。だからこれが真実なのである」と、根拠を示さずに異説を述べるトンデモ言説は、医学や化学をはじめ、さまざまな学問の世界に付いて回るものだと言えます。歴史の分野においては「歴史修正主義」と言い換えてもいいかもしれません。

こうした言説が生まれる背景はいくつかあり、例えば反知性主義や商業的なポピュリズム、また昨今の日本では学問（特に人文学）自体の立場的な弱さなども要因であると思います。

歴史学の立場から考えると、こうした歴史修正主義に対抗する処方箋は、あくまでも「歴史の作法」——ルールを踏まえて議論をするということでしょう。典拠を明確に出し、しかるべき手法で議論を組み立てる姿勢を示し続けてゆく。また、それとも関連することですが、トンデモ言説は歴史学の主流に対して必ずぶら下がって発生することを認識したうえで、歴史学の主流それ自体を鍛えることが重要である、と私は思っています。トンデモ言説は非常に多く、個別に対処しても、いたちごっことなりかねません。人文学が危機的状況にあることを視野に入れたうえで、トンデモ言説が付けいる隙のないほどに、歴史学を鍛え、歴史家を鍛えていくことが必要だと思います。別の言い方をすれば、私の「現場」は歴史学にある、ということでもあります。

●過渡期史観の重要性

二〇〇〇年代以降、長い冷戦時代を終えてグローバル化が進む現在の世界や日本は、いまや転換期を迎えています。現代という時代が、次の時代への過渡期であるという歴史的な視点を自覚することが、歴史学の本流を鍛えるうえでも重要です。

自由も、平等も、民主主義すらもその意味を変じつつある過渡期においては、ありとあらゆる歴史に対する見直しが、トンデモ言説を含めて玉石混交として出てきます。そうしたなかで、過渡期の時代に対応した言説を、歴史学の立場から発信することが重要です。

例えば、近年ベストセラーになった歴史関連の書籍には、呉座勇一さんの『応仁の乱』（中公新書、二〇一六年）、亀田俊和さんの『観応の擾乱』（同、二〇一七年）などもあります。過去の過渡期の存在を、歴史家が現代の人たちに向けて提示した書籍が多くの人に受け入れられた。この現象自体が、トンデモ言説に歴史家が対抗する方向性のひとつを示しているとも言えるかもしれません。現在の時代性を示す、過渡期を生きる歴史家が打ち出す「過渡期史観」が、これからはより重視されてくるでしょう。歴史家としては、そのことを踏まえたうえで、呉座さんや亀田さんの議論を学問的に検討することとなるでしょう。

●「他者の歴史」に目を向ける

また、歴史のありようとして、これまでは「私たちは何者か」という「アイデンティティの歴史」が重視されてきました。歴史学もまた、アイデンティティの歴史を追究してきましたが、私には、強い抵抗感があります。歴史とは、他者の発見、他者の尊重ということであるように私には思われます。「私たち」とは異なる「かれら」がおり、「かれら」もまた（「私たち」と同様に）かけがえのない文化を持ち、歴史を有していること、そしてそのことへの共感を見いだすような歴史・歴史学を追究したいと願っています。

現代はグローバル化への過渡期にあり、人々が従来持ってきたアイデンティティが揺らいでいます。「私たちはどうあるべきか」――過渡期特有の問題意識は、歴史教育の場においても色濃く反映されており、他者の歴史へ目を向けることの必要性を強く感じます。

最後に、歴史教育について言及しておきましょう。歴史教育もいま、大きな転換のなかにあります。今後は高校で、日本史と世界史を融合した「歴史総合」という必修科目の新設が予定されています。現在は教科書を制作中で、二〇二二年四月から実際に授業が開始されます。歴史の見方の変化が、歴史教育の場にも及んできていることは、極めて重要な出来事であるでしょう。世界の動きのなか、日本の歴史教育もようやく動きだしました。

「歴史総合」が新設される背景には、国際的な対応力を持つグローバルエリートをつくり出そうという、やはり過渡期ならではの問題意識が存在します。その問題意識を私たちがどう見るか、また世界史と日本史が融合して教える側の難度も上がった科目を、高等学校の教室で先生たちがいかに教えていくのか。

いまこそ、世論において議論を深めていく時期に入っていると思います。

著者略歴（五〇音順）

明石順平（あかし・じゅんぺい）

弁護士。一九八四年、栃木県出身。東京都立大学法学部、法政大学法科大学院を卒業。主に労働事件、消費者被害事件を担当。ブラック企業被害対策弁護団所属。著書に『アベノミクスによろしく』『データが語る日本財政の未来』などがある。ブログ「モノシリンの3分でまとめるモノシリ話」管理人。

雨宮処凛（あまみや・かりん）

作家、活動家。一九七五年、北海道生まれ。バンギャル、フリーターなどを経て二〇〇〇年に自伝的エッセイ『生き地獄天国』でデビュー。自身の経験から生きづらさについての著作を発表する傍ら、〇六年からは格差や貧困問題について取材、執筆、運動を続ける。『生きさせろ！―難民化する若者たち』でＪＣＪ賞受賞。著書に『一億総貧困時代』『「女子」という呪い』『相模原事件・裁判傍聴記』など多数。反貧困ネットワーク世話人。

荒井裕樹（あらい・ゆうき）

二松學舍大学准教授。一九八〇年、東京都生まれ。二〇〇九年、東京大学大学院人文社会系研究科修了。博士（文学）。日本学術振興会特別研究員、東京大学大学院人文社会系研究科付属次世代人文学開発センター特任研究員を経て現職。専門は障害者文化論・日本近現代文学。著書に『隔離の文学』『障害と文学』『生きていく絵』『差別されてる自覚はあるか』『障害者差別を問いなおす』『車椅子の横に立つ人』などがある。

伊藤圭一（いとう・けいいち）

全労連（全国労働組合総連合）常任幹事、雇用・労働法制局長。一九九七年より全労連事務局へ。二〇〇二年より現職。最低賃金、労働法制などの政策課題を担当。一九九九年、日産リストラ対策現地闘争本部員、二〇〇七年、反貧困ネットワーク設立メンバー、〇九年、年越し派遣村実行委員。共著に『最低賃金で1か月暮らしてみました。』『デフレ不況脱却の賃金政策』など。

指宿昭一（いぶすき・しょういち）

弁護士。一九八五年、筑波大学卒業。二〇〇七年九月、弁護士登録をし、同時に暁法律事務所を開設。労働者側に立った労働問題、外国人の入管問題に取り組んでいる。日本労働弁護団常任幹事、外国人技能実習生問題弁護士連絡会共同代表、外国人労働者弁護団代表。著書に『使い捨て外国人―人権なき移民国家、日本』、共著に『外国人技能実習生法的支援マニュアル―今後の外国人労働者受入れ制度と人権侵害の回復』などがある。

印鑰智哉（いんやく・ともや）

日本の種子を守る会アドバイザー。一九六一年生まれ。日本、ブラジルのNGOを経て、現在フリーの立場で世界の食の問題を追う。ドキュメンタリー映画『遺伝子組み換えルーレット』『種子―みんなのもの？ それとも企業の所有物？』日本語版企画・監訳。共著に『抵抗と創造の森アマゾン―持続的な開発と民衆の運動』がある。

大内裕和（おおうち・ひろかず）

中京大学教養教育研究院教授。一九六七年、神奈川県生まれ。東京大学大学院教育学研究科博士課程単位取得退学。松山大学人文学部教授、中京大学国際教養学部教授を経て、二〇二〇年度より現職。奨学金問題対策全国会議の共同代表。教育における貧困と格差や中間層解体を研究テーマとする。著書に『ブラックバイトに騙されるな！』『奨学金が日本を滅ぼす』『教育・権力・社会』などがある。

岡田　充（おかだ・たかし）

共同通信客員論説委員。一九四八年、北海道生まれ。七二年、慶応大学法学部卒業後、共同通信社に入社。香港、モスクワ、台北各支局長、編集委員、論説委員を経て二〇〇八年から現職。著書に『中国と台湾―対立と共存の両岸関係』『尖閣諸島問題―領土ナショナリズムの魔力』がある。

香山リカ（かやま・りか）

精神科医、立教大学現代心理学部教授。一九六〇年、北海道生まれ。東京医科大学卒業。学生時代より雑誌などに寄稿。その後も臨床経験を生かして新聞、雑誌で社会批評、文化批評、書評なども手がけ、現代人の〝心の病〟について洞察を続けている。専門は精神病理学だが、サブカルチャーにも関心を持つ。著書に『執着―生きづらさの正体』、徳田安春氏との共著『医療現場からみた新型コロナウイルス』など多数。

笹山尚人（ささやま・なおと）

弁護士。一九七〇年、北海道生まれ。九四年中央大学法学部卒業。二〇〇〇年弁護士登録。第二東京弁護士会に所属。東京法律事務所に入所。主として、青年労働者や非正規雇用労働者の権利問題、労働事件や労働問題を扱って活動している。著書に『人が壊れてゆく職場』『それ、パワハラです』『ブラック職場』『労働法はぼくらの味方！』『パワハラに負けない！』『ブラック企業によろしく』がある。

佐藤文隆（さとう・ふみたか）

京都大学名誉教授。一九三八年生まれ。京都大学理学部卒業。京都大学基礎物理学研究所所長、理学部長等を歴任後、甲南大学理工学部教授などを務める。九九年、紫綬褒章受章。著書に『科学者には世界がこう見える』『量子力学は世界を記述できるか』『職業としての科学』『雲はなぜ落ちてこないのか』『科学と幸福』『物理学の世紀』など多数。

想田和弘（そうだ・かずひろ）

映画作家。一九七〇年、栃木県生まれ。東京大学文学部卒業。スクール・オブ・ビジュアル・アーツ卒業。九三年からNY在住。BGM等を排した、自ら「観察映画」と呼ぶドキュメンタリーの方法を提唱・実践。監督作品に『選挙』『精神』『Peace』『演劇1』『演劇2』『選挙2』『牡蠣工場』『港町』『ザ・ビッグハウス』『精神0』があり、海外映画祭などで受賞多数。著書に『なぜ僕はドキュメンタリーを撮るのか』『観察する男』など多数。

田野大輔（たの・だいすけ）

甲南大学文学部教授。一九七〇年、東京都生まれ。京都大学大学院文学研究科博士後期課程（社会学専攻）研究指導認定退学。京都大学博士（文学）。二〇一二年から現職。専門は歴史社会学、ドイツ現代史。著書に『魅惑する帝国―政治の美学化とナチズム』『愛と欲望のナチズム』『ファシズムの教室―なぜ集団は暴走するのか』がある。

鳥畑与一（とりはた・よいち）

静岡大学人文社会科学部経済学科教授。一九五八年、石川県生まれ。大阪市立大学大学院経営学研究科後期博士課程修了。専門は国際金融論。著書に『略奪的金融の暴走』『カジノ幻想』がある。

成田龍一（なりた・りゅういち）

歴史学者。一九五一年、大阪府生まれ。早稲田大学第一文学部卒業、同大学大学院文学研究科博士後期課程修了。文学博士。東京外国語大学講師、助教授を経て、日本女子大学人間社会学部教授（二〇二〇年に退職し、現在は名誉教授）。主な著書に『近現代日本史との対話』『「戦後」はいかに語られるか』『加藤周一を記憶する』『大正デモクラシー』など多数。

饒村 曜（にょうむら・よう）

気象予報士。一九五一年、新潟県生まれ。新潟大学理学部卒業後、気象庁に入り、予報官などを経て、九五年の阪神・淡路大震災のときは神戸海洋気象台予報課長を務める。その後、福井・和歌山・静岡地方気象台長、東京航空地方気象台長として勤務。気象庁を退職後は青山学院大学非常勤講師などを務めた。著書に『特別警報と自然災害がわかる本』など。

橋本淳司（はしもと・じゅんじ）

水ジャーナリスト、アクアスフィア・水教育研究所代表。武蔵野大学客員教授。一九六七年生まれ。学習院大学卒業。出版社勤務を経て独立、現在に至る。「水と人間」をテーマに、国内外の取材を重ねる。雑誌への寄稿をはじめ、経済、ビジネス分野での執筆も。著書に『水がなくなる日』『100年後の水を守る―水ジャーナリストの20年』『67億人の水―「争奪」から「持続可能」へ』など。

布施祐仁（ふせ・ゆうじん）

ジャーナリスト。一九七六年、東京都生まれ。『ルポ　イチエフ―福島第一原発レベル7の現場』で平和・協同ジャーナリスト基金賞、ＪＣＪ賞を受賞。三浦英之氏との共著『日報隠蔽―南スーダンで自衛隊は何を見たのか』で石橋湛山記念早稲田ジャーナリズム大賞を受賞。著書に『日米密約―裁かれない米兵犯罪』『経済的徴兵制』、共著に『主権なき平和国家―地位協定の国際比較からみる日本の姿』などがある。

三木義一（みき・よしかず）

青山学院大学名誉教授。一九五〇年、東京都生まれ。一橋大学大学院法学研究科修士課程修了。法学博士、弁護士、政府税制調査会専門家委員会委員（二〇〇九～一三年）、青山学院大学学長（一五～一九年）、民間税制調査会座長。著書に『日本の税金　第3版』『日本の納税者』『税のタブー』など。「東京新聞」に「本音のコラム」連載中。

満田夏花（みつた・かんな）

国際環境NGO FoE Japan理事、事務局長。一九六七年、東京都生まれ。（財）地球・人間環境フォーラム主任研究員を経てFoE Japanへ。脱原発と福島支援、開発金融と環境を担当。原子力市民委員会座長代理。東日本大震災以降は、脱原発・持続可能なエネルギー政策の実現に向けた各種活動に従事。共著に『「原発事故子ども・被災者支援法」と「避難の権利」』などがある。

安田浩一（やすだ・こういち）

ジャーナリスト。一九六四年生まれ。「週刊宝石」「サンデー毎日」などの記者を経て二〇〇一年よりフリーに。『ネットと愛国』で一二年に第三四回講談社ノンフィクション賞を受賞。主な著書に『沖縄の新聞は本当に「偏向」しているのか』『ヘイトスピーチ』『団地と移民』『愛国という名の亡国』などがある。

安田峰俊（やすだ・みねとし）

ルポライター。一九八二年、滋賀県生まれ。広島大学大学院文学研究科博士。立命館大学人文科学研究所客員協力研究員。著書に『和僑』『移民 棄民 遺民』『さいはての中国』など。『八九六四』で二〇一八年に第五回城山三郎賞、一九年に第五〇回大宅壮一ノンフィクション賞を受賞。

山本 潤（やまもと・じゅん）

日本初の法人化された性暴力被害当事者等団体「一般社団法人Spring」の代表理事。看護師・保健師。一九七四年生まれ。一三歳から二〇歳の七年間、実父から性暴力を受けたサバイバー。性暴力被害者支援看護師（ＳＡＮＥ）として、その養成にも携わる。性暴力被害者の支援者に向けた研修や、一般市民向けの講演活動も多数行う。日本フォレンジック看護学会理事。著書に『13歳、「私」をなくした私―性暴力と生きることのリアル』がある。

渡辺由佳里（わたなべ・ゆかり）

エッセイスト、洋書レビュアー、翻訳家。一九九五年よりアメリカ在住。ニューズウィーク日本版、cakes、FINDERSなどでアメリカの文化や政治経済に関するエッセイを長期にわたり連載している。書評サイト「洋書ファンクラブ」主幹。二〇〇一年に小説『ノーティアーズ』で小説新潮長篇新人賞受賞。著書に『トランプがはじめた21世紀の南北戦争』『ベストセラーで読み解く現代アメリカ』、翻訳書に『それを、真の名で呼ぶならば』などがある。

ライター略歴（五〇音順）

樫田秀樹（かしだ・ひでき）

ジャーナリスト。一九五九年、北海道生まれ。岩手大学卒業。コンピュータ関連企業勤務を経て、ＮＧＯスタッフとしてアフリカでの難民キャンプで活動後、フリーのジャーナリストに。取材で国内やアジア各地に赴く。各誌に環境問題、社会問題、市民運動、人物ルポなどを寄稿。著書に『リニア新幹線が不可能な７つの理由』『自爆営業―その恐るべき実態と対策』『世界から貧しさをなくす30の方法』など。

川喜田研（かわきた・けん）

ジャーナリスト、ライター。一九六五年、神奈川県生まれ。九二年、ニューズ出版入社。雑誌「Ｆ１速報」「レーシングオン」でＦ１担当編集者、スタッフライターとして勤務し、九九年に独立。モータースポーツ・ジャーナリストとして活動後、取材対象を政治、経済、社会問題などに広げ「週刊プレイボーイ」などの媒体を中心に執筆。著書に『さらば、ホンダＦ１―最強軍団はなぜ自壊したのか?』がある。

仲藤里美（なかふじ・さとみ）

ライター。一九七三年、大阪府生まれ。NGOスタッフ、編集プロダクション勤務などを経てフリーに。雑誌やウェブサイトにインタビュー記事などを執筆。著書に『作ること＝生きること』。

畠山理仁（はたけやま・みちよし）

フリーランスライター。一九七三年、愛知県生まれ。早稲田大学第一文学部在学中の九三年より雑誌を中心に取材・執筆活動を開始。関心テーマは政治家と選挙。著書に『記者会見ゲリラ戦記』『領土問題、私はこう考える！』がある。二〇一七年、『黙殺―報じられない〝無頼系独立候補〟たちの戦い』で第一五回開高健ノンフィクション賞を受賞。

濱野ちひろ（はまの・ちひろ）

ノンフィクションライター。一九七七年、広島県生まれ。二〇〇〇年、早稲田大学第一文学部卒業後、雑誌などに寄稿を始める。一八年、京都大学大学院人間・環境学研究科修士課程修了。現在、同研究科博士課程に在籍し、文化人類学におけるセクシュアリティ研究に取り組む。一九年、『聖なるズー』で第一七回開高健ノンフィクション賞を受賞。

松尾亜紀子（まつお・あきこ）

エトセトラブックス代表取締役・編集者。編集プロダクションを経て、二〇〇三年より河出書房新社に編集者として一五年間勤務。一八年秋に同社を退社、同年一二月に独立して、フェミニズム専門の出版社エトセトラブックスを設立する。一九年五月に、フェミマガジン『エトセトラ』を創刊。

安田峰俊（三一二ページへ）

山田久美（やまだ・くみ）

科学技術ジャーナリスト。早稲田大学教育学部数学科卒業。二〇〇五年、東京理科大学大学院修了。都市銀行システム開発部を経て現職。科学技術、技術経営関連の記事を中心に、執筆活動を行っている。著書に『45分でわかる！ 明るい未来が見えてくる！―最先端科学技術15。』『東京スカイツリー―天空に賭けた男たちの情熱』など、共著に『日本の火山に登る―火山学者が教えるおもしろさ』などがある。

編集協力／集英社クリエイティブ
協力／加藤直樹、小峰和徳、小山修一
本文デザイン・図版作成／ＭＯＴＨＥＲ

イミダス編集部（いみだすへんしゅうぶ）

集英社が一九八六年に刊行を始めた年次版の現代用語事典「情報・知識 imidas」の編集部としてスタート。事典の出版は二〇〇七年版を最後に終了し、以後はオピニオン、コラム、エッセイなどを掲載するウェブサイト「情報・知識&オピニオン imidas」(https://imidas.jp/) を運営している。

イミダス 現代の視点2021

集英社新書一〇四二B

二〇二〇年一一月二二日 第一刷発行

編者……イミダス編集部

発行者……樋口尚也

発行所……株式会社集英社

東京都千代田区一ツ橋二-五-一〇 郵便番号一〇一-八〇五〇

電話 〇三-三二三〇-六三九一（編集部）

〇三-三二三〇-六〇八〇（読者係）

〇三-三二三〇-六三九三（販売部）書店専用

装幀……原 研哉

印刷所……大日本印刷株式会社 凸版印刷株式会社

製本所……加藤製本株式会社

定価はカバーに表示してあります。

ISBN 978-4-08-721142-9 C0236

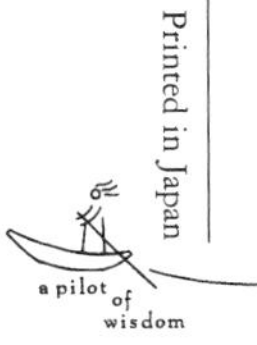

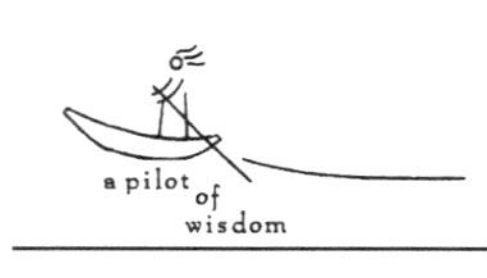

全体主義の克服
マルクス・ガブリエル／中島隆博　1032-C
世界は新たな全体主義に巻き込まれつつある。その現象を哲学的に分析し、克服の道を示す画期的な対談！

東京裏返し　社会学的街歩きガイド
吉見俊哉　1033-B
周縁化されてきた都心北部はいま中心へと「裏返し」されようとしている。マップと共に都市の記憶を辿る。

人に寄り添う防災
片田敏孝　1034-B
私たちは災害とどう向き合うべきなのか。様々な事例や議論を基に、「命を守るための指針」を提言する。

人新世の「資本論」
斎藤幸平　1035-A
資本主義が地球環境を破壊しつくす「人新世」の時代。唯一の解決策である、豊潤な脱成長経済への羅針盤。

国対委員長
辻元清美　1036-A
史上初の野党第一党の女性国対委員長となった著者が国会運営のシステムと政治の舞台裏を明かす。

プロパガンダ戦争　分断される世界とメディア
内藤正典　1037-B
権力によるプロパガンダは巧妙化し、世界は分断の局面にある。激動の時代におけるリテラシーの提言書。

江戸幕府の感染症対策　なぜ「都市崩壊」を免れたのか
安藤優一郎　1038-D
江戸時代も感染症に苦しめられた。幕府の対策はどのようなものだったのか？　その危機管理術を解き明かす。

長州ファイブ　サムライたちの倫敦（ロンドン）
桜井俊彰　1039-D
密航留学した経験から、近代日本の礎を築いた五人の長州藩士。彼らの生涯と友情に迫った幕末青春物語。

苦海・浄土・日本　石牟礼道子　もだえ神の精神
田中優子　1040-F
水俣病犠牲者の苦悶と記録を織りなして描いた石牟礼道子。世界的文学者の思想に迫った評伝的文明批評。

毒親と絶縁する
古谷経衡　1041-E
現在まで「パニック障害」の恐怖に悩まされている著者。その原因は両親による「教育虐待」にあった。